Füsun Onur, bir söyleşi için Eric Suchère'in yönelttiği soruya cevaben | answering Eric Suchère's question for an interview

*Her seferinde
yeniden başlamak
istiyorum.*

*I want to begin
each time anew.*

Aynadan İçeri
Through the Looking Glass
FÜSUN ONUR

ISBN 978-975-6959-83-1

Editör | Editor İlkay Baliç

Türkçeden İngilizceye çeviri
Translation from Turkish to English
Aslı Mertan

İngilizce Redaksiyon ve Düzelti
English Copyediting and Proofreading
Ziya Dikbaş

Türkçe düzelti | Turkish proofreading
Emre Ayvaz

Tasarım | Design Esen Karol

Fotoğraflar | Photographs
Stefano Campo Antico 44, 45
Vedat Arık 156–159
Hadiye Cangökçe 25–33, 34–35, 40–42, 46, 53,
80–83, 88–89, 90–91, 93–106, 110–111, 129, 133, 134–
135, 140–141, 146–147, 154–155, 170–203, 205–223
Peter Cox (Eindhoven, The Netherlands) 54–55
Murat Germen 161–168
Esen Karol 118–119, 121–128, 136, 137, 169
Nils Klinger 152–153
Selen Korkut 48, 49, 50, 150
Werner Maschmann 86, 87
İlhan Onur 37–39, 47, 57, 84, 107, 136,
138–139, 148, 151
Sarkis 149
Franz Schachinger 85
Başak Doğa Temür 51
Uwe Walter, Berlin 142–143
Serkan Yıldırım 130–131

Baskı ve Cilt | Printing and Binding
Ofset Yapımevi
Şair Sokak No: 4 Çağlayan Mahallesi
Kağıthane 34410 İstanbul, TR
T: +90 212 295 86 01
Sertifika No: 12326

ARTER
sanat için alan | space for art
İstiklal Caddesi No: 211
34433 Beyoğlu, İstanbul, TR
T: +90 212 243 37 67 F: +90 212 292 07 90
E: info@arter.org.tr
arter.org.tr

ARTER

Aynadan

İçeri

FÜSUN ONUR

Through the

Looking Glass

ARTER

Bu kitap, Füsun Onur'un
ARTER'de 28 Mayıs–17 Ağustos
2014 tarihleri arasında gerçekleşen
"Aynadan İçeri" adlı sergisi için
hazırlanmıştır.

This book is published
on the occasion of
"Through the Looking Glass",
Füsun Onur's exhibition
held at ARTER between
28 May and 17 August 2014.

Aynadan İçeri
Through the Looking Glass
Füsun Onur

28/05/–17/08/2014

Küratör | Curator
EMRE BAYKAL

Füsun Onur ve ARTER, "Aynadan İçeri" sergisinin ve
kitabının gerçekleşmesine katkıda bulunan kişi
ve kurumlara teşekkür ederler.

Füsun Onur and ARTER would like to thank
the following people and institutions for their collaboration
in the making of the exhibition and the book
"Through the Looking Glass".

Duygu Bircan
René Block
Rabia Çapa
Elif Çete
Kaan Çongarlı
Laetitia Dalet, CNAP
Amélie de Dianous, CNAP
Özgür Eken
Davide Gallo
Ersin Gök
Dr. Thomas Heyden, Neues Museum
Ayşegül Karadeniz
Emrah Karakurum
Ali Kazma
Filiz Kuvvetli
İlhan Onur
Ruth Peer, CNAP
Leyla Pekin
Murat Pilevneli
Kris Sowersby, Klim Type Foundry
Yavuz Savaş, Saral Mobilya
Sinan Şensivas
Feramuz Tuna
Haydar Tuna
Bettine Verkuijlen, Van Abbemuseum
Marcia Vissers, Van Abbemuseum
Margo van de Wiel, Van Abbemuseum
Yeşim Yalman
Özgür Mert Yavru
Yağız Yavru
Ekin Yıldırım
Işıl ve Sarkis Zabunyan

Sanatçı Asistanı | Assistant to the artist
Deniz Duygu Vural

Ödünç verenler | Lenders

Nürnberg Neues Museum'daki Block Koleksiyonu
Block Collection on loan to the Neues Museum in Nürnberg

CNAP – Le centre national des arts plastiques, Fransa | France

Collection Roger Conover Koleksiyonu

Collection Davide Gallo Koleksiyonu, Milan, İtalya | Italy

Collection Işıl-Sarkis Koleksiyonu

Collection Ayşegül-Doğan Karadeniz Koleksiyonu

Collection Leyla Pekin Koleksiyonu

Collection Van Abbemuseum, Eindhoven, The Netherlands Koleksiyonu

İçindekiler | Contents

Emre Baykal

Her kim ki bu odaya girer...

DIŞARIDA

Farz edelim günlerce aynı evin önünden geçip durdunuz. Defalarca, bıkmadan, yorulmadan. Sırf o evi görmek için, türlü bahaneyi peş peşe dizerek. Ne varsa artık o evde sizi böyle...

On kere geçtiniz diyelim evin önünden; yirmi kere geçtiniz; kırk kere; siz deyin yüz.

(hızlı adımlarla çarşıya doğru yürür / ağır adımlarla parka ilerler / sallana sallana iskele yönüne / düşünceli bakışlarla sağa / dalgın dalgın sola / dikkat kesilmiş yolun karşısına geçer / gerisin geri geldiği yere doğru / dümdüz geçer / kararlı bir hamleyle ana caddeye doğru / hatırlamaya çalışarak rıhtıma sapar / etrafına hiç bakmadan / hülyalı gözlerle / nereye gittiğini bilmeden / dikkat çekmemeye çalışarak / isteksizce / koşarcasına / ağırdan alarak / birinden kaçar gibi / birini kovalarcasına)

git-gel, git-gel, git-gel, git-gel, git-gel

Biraz durmalı mı diyorum artık şöyle önünde, ancak çekine sakına, biraz gizlene saklana, ki ev sizi görmesin.

Diyelim ki karşı kaldırım boyunca uzanan bahçe duvarının ardına gizlendiniz; yandaki arsada büyüyen incir ağacının arkasına; hep aynı yere park eden siyah Chrysler'in altına; kaldırıma terk edilmiş eski kanepenin, sokağın ucundaki çöp bidonlarının gerisine.

Ne varsa artık sizi böyle kendine uzun uzun, gözlerinizi bir an ayırmadan, kırpmadan...

Aşı boyasını gıcır gıcır kuşanmış ahşap kaplamaların; demir parmaklıklı pencerelere vuran güneşten yorgun argın, aygın baygın süzülen kül rengi tüllerin; günde yalnızca birkaç kez açılıp sonra hemen örtülen sokak kapısının sizden sakladıklarını, bunca zamandır merakla, özlemle, hasretle hatta... Orada yaşayanları, daha önce yaşananları, bundan sonra olacakları...

Evin odalarını, o odaları dolduran mobilyaları, mutfağın kokusunu, banyonun rutubetini, çay masalarının hiç bozulmayan düzenini, merdivenlerin gıcırtısını, atılan her adımla evin çıkardığı sesleri gözleyerek, dinleyerek, düşleyerek...

Düşledikçe ev de sizi düşleyecek. Çağırdıkça o da çağıracak, özledikçe özleyecek. Ne denli istenirse o denli isteyecek. Kapısı aralanacak, size doğru açılacak, düşleriniz karışacak.

İÇERİDE

Kapıyı Füsun açtı. Şaşkınlıktan olduğum yerde kalakalmışım. *O bir yerdeymiş, ben bir yerdeymişim. İki yer arasındaymış.* Önümmüş arkammış sağımmış solummuş -Saklan! Sonra tekrar: Kapıyı Füsun açtı. Şaşkınlıktan...

...Kalakalmışım. Kapı açık bekliyordu. Yeterince uzun bir süre – ne kadar olduğuna siz karar verin – kararsız kaldıktan sonra, bunca zamandır sadece düşüncemde geçip durduğum kapıdan bir çırpıda geçtim içeri. *Bende mi bir gariplik vardı, yoksa bu ev mi beni... Sanki biraz farklı gibiydim, ama ben aynı ben değilsem, o zaman yahu ben kimdim?* Ben Ben'im, Orası da "Burası", buna şüphe yok.

Hafifçe sendeler gibi oldum. Evle arama girmemeye özen göstererek, ayaklarında kırmızı terlikler, yumuşacık, sessiz adımlarla peşimsıra geliyor. Sağda portmanto; portmantoda bir yağmurluk, bir hırka; hırkada bir broş; solda çiçek desenli bir fiskos, pirinç şemsiyelik; geçince karşıda yerde bakırdan dev bir çiçek. İkisi mavi diğerleri buzlu camdan gözleri olan geniş bir kapı alçak bir basamakla hole açılır. Holde farklı farklı odalara açılan, farklı farklı boyutlarda altı kapı daha; bazıları kapalı bazıları açık.

Tıkırdayan fokurdayan mutfağın kapısından bir baş uzanıp gülümsüyor. "Demek geldin," diyor İlhan çın çın çınlayarak, sevinçle, "seni bekliyorduk".

Koyu kırmızı çiçek demetleriyle desenlenmiş porselen çay takımları holdeki aslan ayaklı, beyaz keten örtülü masaya – her zaman olmaları gerektiği düzende – yerleşmişler. Çarşıdaki pastaneden aşina olduğum ama tadına daha önce hiç bakmadığım Maria'nın meşhur cheesecake'i, tarçınlı çörek ve ev yapımı poğaçadan yükselen kokular mı; yoksa hole adım atar atmaz her biri kendi rengi, şekli, sesi, kokusuyla bu evi doldurmaya başlayan şeylerin yarattığı hayret verici kalabalık mı başımı döndüren, işin içinden çıkamadım bir süre.

Kırmızı saten koltukların üstünde zarif sırça çiçeklerin, saydam pembe filigranların çerçevelediği üç küçük ayna, oturma odasının düzenli kalabalığını bir o taraftan, bir bu taraftan yansıtıp duruyorlar.

Kararmış gümüş kasede gül, menekşe, krizantem.

Ahşap oymalı sandalyesinde uyuyakalmış porselen bir bebek.

Bir biblo – ceylan mı desem, kuzu mu desem – cam kapaklı vitrinin üstünde iyice kenara yanaşmış, yandaki ahşap büfeye atladı atlayacak, etrafı kolaçan ediyor. Az ötede kıpkırmızı kesmiş bir kedi, kıpkırmızı bir topu aşağı yuvarladı yuvarlayacak, hiç istifini bozmadan yan gelmiş yatıyor. Müzikli atlıkarıncanın şemsiyesi altında üç plastik küheylan, bir sıçrayışın tam ortasında durup dinlenmeye çekilmiş, sanki birazdan tekrar dönmeye, kaldıkları yerden koşmaya devam edecekler.

Kristal, cam, porselen, ahşap, sedef, dantel, gümüş, kadife, tüy, saten, kılıktan kılığa, biçimden biçime bürünüp vitrinleri, büfeleri, sehpaları, rafları, boy boy, renk renk, desen desen, çeşit çeşit, zaman zaman dolduruyorlar huzurlu bir kalabalıkla.

İki kanatlı gümüş fotoğraf çerçevesinin bir kanadında iki genç kadın, Füsun ve İlhan, yanak yanağa kameraya poz veriyorlar; diğer kanatta ise siyah dantelli elbisesinin yakasını iri çiçeklerle süslemiş bir başka genç kadın: Anneleri Nerime Hanım. Onları anneleriyle kimbilir hangi zaman aynı yaşlarda buluşturan çerçevenin yanında pembe kulaklı, beyaz plastik bir tavşan hiç acelesi yokmuş, hiçbir yere gecikmiyormuşçasına, tüyünü bile kıpırdatmadan bekliyor. Çin porseleni tabakta bir akreple yelkovan, sanki mavi yelkenliler ve yeldeğirmenleriyle aynı rüzgârı arkalarına katmışlar da, tik-tak tik-tak bir buluşup bir ayrılıyorlar.

Yalvarırım Beyefendi, saatiniz kaçı gösteriyor?
Saatim 1'dir – 2'dir – 2 buçuktur
Üçü çeyrek geçiyor
4.30
Dörde çeyrek var
5'tir

İlhan sesleniyor: "Çay hazır!" Ben de onlarla birlikte masadaki sandalyelerden birine geçip, artık yerleşiyorum.

KAĞIT ÜSTÜNDE

"Biz bu evde doğduk, çocukluğumuz bu evde geçti, buradan hiç ayrılmadık. Füsun sanat okumaya Amerika'ya gittiğinde istese orada kalabilirdi; burada olmak istedi, buraya döndü."

Kapıyı açtığı anda onun da hissetmiş olabileceği gibi, kapıdan içeri adım attığım anda ben de hayat boyu bir şeyin başlamak üzere olduğunu fark etmiştim sanki. Benim burayı seçmem gibi, aslında buranın da beni seçtiğini. Buradan artık ayrılmayacağımızı.

Amerika'dan dönerken orada yaptıklarının bazılarını yanında getirebilmiş Füsun. Bir kısmını aşağıda, atölyedeki dolapta bir dosya içinde tutuyor. *Bilinmemişin tılsımında yeni bir anlamlar dağarcığı bulmanın ardındaymış* bunları yaparken. *Mekânı bir parça beyaz kağıt üstüne dağıtmak için* çizmiş bu desenleri. Pek nadiren de olsa bazı konuklarına çıkarıp gösterdiği oluyor; şans eseri aklına eserse, tesadüfen içinden öyle gelirse...

Bir çizgi bir kağıtta yalnız başına ilerliyor, bir başka kağıtta başka bir çizgiyle buluşuyor; birden yön değiştirip diğer çizgilere kavuşuyorlar; çizgiler birleşip bazen genişliyor, beraberce ilerliyor, bazen de ayrılıp uzaklaşıyorlar birbirlerinden; keskin, kararlı, dümdüz / tereddütlü, titrek, eğri büğrü. İçlerinden biri genişleye genişleye kapkara bir lekenin içine dökülüyor, katran gibi, katman katman akıyor; *bir yanı gündüz, bir yanı gece*; siyah beyazı itiyor, beyaz siyahı çekiyor; derken öyle, siyah mı beyazın içinde, beyaz mı siyahın içinde, bir dolu boşa, bir boş doluya, bir kare bir üçgene, üçgen daireye, bir karanlık aydınlığa, ışık gölgeye. -devrile devrile, devine devine, değişe dövüşe...

Bazan bir şey görünür gibi oluyor bazan bir şey görünmüyor.

BEYAZ KÜP

Bu sabah fotoğraf albümleri masanın üstüne çıkmış yine. Birini kapayıp diğerini açıyor İlhan. Nihayet üçüncü albümün ilk sayfalarında aradığını buluyor. "Bak," diyor "işte burada. Ne kadar severdim bunu. Atma diye yalvardım da, dinlemediydin." Okuyor: "bin dokuz yüz yetmiş iki köpük yüz çarpı yüz çarpı yüz."

Fotoğraflarda bir beyaz küp – sağından, solundan, önünden, arkasından, bir de yukarıdan. Geometrik bir bilmece, açık bir labirent, *açıklanamayan şeylerin merkezi...*

Noktalar çizgileşmiş, çizgiler yeni çizgileri, biçimler biçimi doğurmuş, olaylar birbirini kovalamış, bir bütün doğmuş. Küpün bir yüzeyinde açılan boşluk diğer yüzeylerde tekrarlanıyor. Birinde daralırken ötekinde uzuyor, birinde kısalırken ötekinde genişliyor. Aynı açıklığın önünde bir uzayıp bir kısalan biz değilsek şayet, bir büyüyüp bir küçülen kapılardır bu boşluklar. Çizgiler çizgilerle, yüzeyler yüzeylerle rastlaşıp kesiştikçe çeşit çeşit prizmayla doluyor küpün içi; birbirine açılan başka boş hacimlere, odalara bölünüyor.

RÜYA - SIR KÜPÜ

Devasa büyüklükte, neredeyse bir oda genişliğinde, göz kamaştırıcı bir küpün önündeymişim. Daha büyük bir beyaz küpün içine yerleştirilmiş olan bu küpü – bir arınma törenindeymişçesine – boşlukta zarif fiyonklar çizerek etrafa lavanta kokuları saçan mavi tül şeritler çevreliyormuş. Önünde, pembe harflerle "BURASI" yazılı, paslı bir plaka duran, geniş kapı boşluğundan içerisi görünen bu güzel küp meğer som aynadan yapıldığı için sırlarla kaplıymış. Başımı uzatıp şu sır küpünün içine şöyle bir bakıversem diyorum. Bir de ne göreyim: Burada sanırken kendimi, orada değil miymişim? Ben dışarıdan bakarken, içeriden bakan da ben. Hem dışarıda hem de içeride olamayacağıma göre bari içine gireyim diyorum. Işıldayan büyük beyaz boşluktan adımımı içeri atmamla beraber bir kalabalık, bir şamata, bir kıyamettir kopuyor. Buradayım desem olmuyor, oradayım desem olmuyor; buraya bakıyorum oradaymışım, oraya bakıyorum şurada. Arkama döndüğümde önümde, önüme döndüğümde arkamda. *Acaba diyorum şu kapıları takip etsem bu sır küpünün doğruca içinden geçip öbür tarafından çıkar mıyım?* Ayna evin kapılarından geçe geçe, duvarlarında yansıya çoğala, dışarı açılan dokuzuncu ve son kapının önüne geliyorum ki, hep birlikte uyanıyoruz.

bana ne
mi dedin
nasıl sana ne
sana ne
mi dedin
nasıl bana ne

KUYRUK

Gözlerimi açtığım sırada şu tuhaf form beliriyor karşımda. İsmi "İsimsiz (Şekilsiz Form)". Bir şey tam da bir şeye benziyor derken, bakarsınız bambaşka bir şeye dönüşüverir ya zihinde bazen, sonra da bir başkasına... Rüya değil ama, uykuyla uyanıklık arasında. Füsun da yapıtlarını düşünürken uyumak gelmez elinden, uykuyla uyanıklık arasındadır. İşte böyle zamanlarda olduğu gibi, *iki yer arasında, iki şey arasında*, bir belirip bir kaybolan *Şekilsiz bir Form*.

Füsun 1972'de Paris'te düzenlenen bir bienal için yer heykeli olarak tasarladığı, şimdi yeniden nefes alıp veren bu nesneye, herkesin *başka bir gözle bakmasını, kendi verdiklerinin dışında anlamlar üretmesini, bütün yapıtlarında olduğu gibi anlamın gelişmesini, yayılmasını, çoğalmasını* istiyor. İlk bakışta bir değneğe benzetiyorum onu, sonra bir soru işaretine: Düştüğü yerden kalkmak için şişinip duran bir değnek, veya ne olduğuna dair sorulan her soruda sönüp gidiveren bir soru işareti. Ya da az önce upuzun bir değnek – veya koskoca bir soru işareti – yutmuş bir *boa yılanı* da olabilir. Belki de bir Cheshire Kedisi'dir...

> *"Belki de?" dedi kedi*, bıyıklarının ucundan başladı kaybolmaya, sonra sırıtışı, en son kuyruğu silindi... Kendisi tamamen gözden kaybolduktan sonra, kuyruğu bir süre daha kaldı.

> "Hayret! Kuyruksuz kedi görmüştüm birkaç kez", diye düşündü Alice, "ama kedisiz bir kuyruk! *Bu ömrümde gördüğüm en tuhaf şey.*"

Bu tuhaf şey, artık siz onu her neye benzetirseniz benzetin, belki de hiçbir şeye benzetilmeye, kodlarının çözülmesine ihtiyaç duymadan, hem İsimsiz, hem Şekilsiz, en çok kendine benzeyen bir Form olarak kâh inip kâh şişiyor, bir belirip bir siliniyor.

SİSLİ AYNA

İlhan, bir an ortadan kaybolup, birkaç dakika sonra elinde küçücük, kararmış bir anahtarla dönüyor. Boğaz'a bakan pencerenin yanındaki köşe rafına, kenarları çiy tanelerini hatırlatan yuvarlak motiflerle bezeli, sisli bir aynaya uzanıyor. Anahtarı aynanın arkasındaki gizli ahşap kasanın üzerinde ufak bir anahtar deliğine götürüp çevirmeye başlıyor. "Müzikli bir aynadır bu, Rus yapımı. Annemin çocukluğundan kalmaymış, yüz yaşında vardır neresinden baksan. Bak dinle."

Birden kristal bardakların, kesme sürahilerin, desenli vazoların, rengârenk karafların, şekerliklerin, porselen fincanların, zar gibi ince çay takımlarının, pirinç çanların, sırça meleklerin, inciklerin, boncukların, pulcukların üzerine bir tılsım yağdı da, hepsi bir ağızdan çın çın çınlamaya, çağıl çağıl çağlamaya başladılar. Kristal bir orkestranın kırılgan notaları ruhumu okşayarak odanın içine akıp, bir buhur halinde dalga dalga pencereden süzülüp gittiler.

Çevirdiği anahtarla ritmimi nasıl yeniden ayar ettiğinin farkına varmış olmalı ki, İlhan yaptığından memnun bir gülümsemeyle aynayı yerine kaldırıyor. Müzikten boşalan yere gelip kurulan sessizliğin yeterince uzadığına karar verdikten sonra Füsun, fısıltıyla: *"Müzik dinlediğim zaman,"* diyor, *"sanki ona dokunurum. Yumuşaklığını ya da sertliğini duyarım, rengini görürüm. Nefes alırcasına, onun iniş çıkışını duyumsarım. Onun yayıldığı uzamı, zıpladığını ya da küçük adımlarla gittiğini görebilirim."*

Do mavi Re lacivert Mi pembe Fa turuncu Sol kırmızı La yeşil Si sarı

Mavi yeşil pembe mavi
Kırmızı yeşil kırmızı turuncu
Pembe turuncu kırmızı
Pembe turuncu kırmızı

ÇİÇEKLENME

Tıpkı müzikte olduğu gibi, zamansal bir ilerleyişin, tekrara dayalı, ritimsel bir deneyimin peşinde. *Duymaları görmelere* çevirebilecek sessiz bir müziğin.

Elinde birkaç kare, biraz dikdörtgen, bolca nokta ve çizgi, az sayıda da rengi var. Bunları kullanarak yaptığı, birbirinin aynı üç öğeyle başlıyor işe. Önce ahşap dikdörtgenleri birbirine dikip çatıp üç adet kaide yapıyor. Tam "bunların üstüne ne koyup da sergileceyek acaba?" diye düşünürken, taç yapraklar gibi kestiği dairesel formları dört bir taraftan altlarına üstlerine, sağlarına sollarına iliştiriveriyor kaidelerin. Sonra, üst yapraklardan birer tanesini hafifçe aralıyor; sanki kaideler tomurcuklanmış da çiçek açmaya hazırlanıyorlar. Açılan yaprakların ucundan sallandırdığı küçük kareler yaylana yaylana ileriyi, önlerinde duran diğer kaideleri işaret ediyorlar: -İşte orada, bak önümde, az ileride, biraz ötemde... Art arda dizilerek, *aralıklarla, suskunluklarla üç kez yinelenen bu harekete* dördüncü bir kaide ekleniyor ve yapraklarının tümünü birden açıp çiçekleniveriyor.

Ardışık ve çizgisel dizilimiyle ritmik bir başlangıcı patlamalı bir sona ulaştıran bu dört vuruşlu / dört duruşlu "İsimsiz Çeşitleme", yanından her geçtiğimde, yeni bir ritim, yeniden zaman kazanıyor. Tıpkı bir merdivenin basamaklarını birer birer, çifter çifter, ikişer üçer, ağır aksak, giderek ağırlaşarak, giderek hızlanarak, sıçraya sıçraya, kayar gibi, topukları vura vura, parmak ucunda, koşa koşa, dura dura, dura kalka, ine çıka, ine ine, bata çıka, çıka çıka, çıka dura...

MERDİVENLERDE

Boğaz'a bakan balkonla alt kattaki terası ve atölyeyi birbirine bağlayan ahşap merdivenlerden Füsun'un ayak sesleri duyuluyor. Sadece evdeki albümlerden fotoğraflarını gördüğüm bir yerleştirmesindeki merdiven canlanıyor gözümün önünde. Bembeyaz bir duvarın üstünde birbirine paralel aşağı inen – ya da yukarı çıkan – altın sarısı iki zincir; bunların arasına gevşekçe gerilmiş mavi kordondan basamaklar, üzerine yerleştikleri beyaz duvarı dilimliyorlar. Çıkmalı mıyım bu merdiveni, inmeli miyim bu merdivenden? Hem çıkıyor hem de iniyor merdivene kalsa. Sen aşağıdaysan yukarıda bitiyor, sen yukarıdaysan aşağıda. Anlaşılan başladığı yerde bitiyor bu merdiven. Bittiği yerde mi başlıyor yoksa?

"Altı üstü merdiven işte," diye gülüyor Füsun. Aslında bir meleğin inmesine yardımcı olmak için koymuş o merdiveni oraya...

Yelpaze gibi açılan, döne döne tırmanan, seke seke inen merdivenlerle oynamayı seviyor. Bir de aynalı bir merdiven yapmış bir vakitler. Kendi gölgesi yerine heykelin altına serdiği aynada kıvrıla büküle açılan *basamaklı yapı*, bir taraftan aşağı bir taraftan yukarı; aynadan bir içeri, bir aynadan dışarı...

ORIENT'TE

"Bu coğrafya öğrenmek gibi bir şey," diye düşündü Alice, daha ilerileri birazcık görebilmek ümidiyle ayak parmakları üzerinden yukarıya baktığı sırada. "Başlıca nehirleri... hiç yok... Başlıca dağlar... Varolan tek dağın üstündeyim, ama bir ismi olduğunu sanmıyorum. Başlıca kentleri..."

...yok. Varsayalım ki "Orient'te Buluşalım" dedik, bu durumda hep Doğu'ya doğru yol almamız gerekmez mi? Ama gidilecek ne bir dere, ne bir tepe, ne de bir arpa boyu yol kalmış görünürde. Kıtalarını, ülkelerini, sınırlarını, komşu ülkelerini, bölgelerini, iklimlerini, bitki örtülerini, doğal güzelliklerini, tabii kaynaklarını, yüzölçümlerini, rakımlarını, nüfuslarını, dinlerini, dillerini, ırklarını, yönetim şekillerini, para birimlerini, kişi başına düşen milli gelirlerini, şunlarını, bunlarını üzerinden silkeleyip, okyanus mavisi, pürüzsüz bir küreye dönüşmüş dünya. Bütün yüklerinden arındırılmış bu mükemmel küre, ilmekleri gümüş rengi boncuklarla süslenmiş mavi bir ağın içinde havada asılı beklerken, birazdan seyre çıkmaya hazırlanan şişkin ve sabırsız bir balonu da anımsatıyor bana. Yerküre bu haliyle öylesine çıplak, öylesine boş görünüyor ki, yolculuk Doğu'ya mıymış Batı'ya mı; istikametimiz kaç derece kuzey kaç derece güneymiş; rüzgâr sağdan mı yoksa soldan mı esecekmiş; "bütün bunlar neyi değiştirir," diye düşünüyorum kendi kendime, "sonuçta hep aynı yere, aynı sonsuz maviliğe inecek olduktan sonra."

> iniş için alçalıyoruz
> sayın yolcularımız
> şimdi biraz aşağıya doğru lütfen
> biraz daha aşağıya
> az daha
> daha aşağıya

> *-Dünyada en çok görmek istediğim yer mi? Yok öyle bir yer;*
> *ancak duyulmamış, görülmemiş, benim bulacağım bir yer olmalı.*
> *Gitmek, görmek istemediğim bir yer de yok.*

Bulunduğu yerden kalkıp da bir arpa boyu bile yol gitmesine gerek kalmadan tüm dünyayı çepeçevre dolanacağı uzun yolculuğunu başlatmak üzereydi. İpek kumaşı dizlerinin üzerine koyup gümüş makasını eline aldı. Yola nereden çıkacağı konusunda kısa bir tereddüdün ardından, sağa sola yukarı aşağı gezdirdiği makas, kumaşı herhangi bir yerinden rastgele yakaladı.

İpeğin üzerinde yağ gibi kayan makas, epeydir yontulmadığı hemen anlaşılan bir kurşun kalemle çizilmiş belli belirsiz birtakım şekilleri, silik soluk izleri takip ettikçe, güneye doğru bir kartal gagası gibi sivrilerek uzanan Güney Amerika'nın kıvrıla kırıla dans ederek ilerleyen girintili çıkıntılı sahilleri belirmeye başlıyor önce. Makas sonra kıtanın Büyük Okyanus'a bakan batı kıyılarının güneyinden başlamak üzere zarif dairesel bir hamleyle kuzeye doğru çıkıp dondurucu Kuzey Buz Denizi boyunca batı istikametinde ilerleyerek yapayalnız ve mahzun Grönland üstünden nihayet Kuzey Avrupa ülkelerinin ve Rusya'nın uzak ve ıssız kuzey kıyılarına geldiğinde biraz soluklanıp Uzak Doğu'nun doğu şeridini ve daha da doğuda kalan tropik adalarını kimi zaman keskin kimi zaman yuvarlak manevralarla aşmayı başararak Avustralya'nın rengârenk resifleriyle sarp yamaçlarını bir hamlede geçip Hint Okyanusu boyunca kuzeye ilerlerken Güneydoğu Asya ve Asya'nın güneyinden geçip okyanusun doğusuna yöneldiğinde Ortadoğu'nun içlerine doğru derin bir yarık açıp nihayet bir dil gibi güneye doğru sarkan yaşlı Afrika'nın doğu kıyılarından tekrar kuzeye dörtnala kalkıyor ve giderek yavaşlayarak aniden...

...durdu. Gümüş makasını ipek kumaşın üstünde hiç ara vermeden sürerek tamamladığı bu uzun ve maceralı yolculuğun sonunda, zamanın nasıl geçtiğinin farkına bile varmamıştı. Beş kıtanın beşi de ellerinin arasındaydı şimdi. Sandalyesinden usulca kalkarken parmaklarının ucuyla bir kulağından Amerika'yı öbür kulağından Asya'yı yakalayıp, bakır bir teknenin üzerinde sallanmakta olan gergefin ahşap çemberine öylesine asıverdi.

Birden, aşağıda, az daha aşağıda, berrak bir suyun ağzına kadar doldurduğu bakır teknenin derinliklerinde, elle yazılmış altın sarısı kelimeler ışıldadı:

Somalı, Bosna Hersek, Bulgarıa, Holland, Angola, Kuwaıt, Ukraıne, Greece, Azerbaıjan, Thaıland, Armenıa, Tadzhıkıstan, Srılanka, Uzbekıstan, Uygur, Hungary, Peru, Vıetnam, Denmark, Honduras, Nıqaragu, Bolıvıa, Egypt, England, Lıthuıanıa, Canada, Hırvatıstan, Cyprus, Germany, Iceland, Phılıpınes, Tanzanıa, Ireland, Moldavıa, Brazıl, Zambıa, Kenıa, Russıa, Sweden, USA, Letonıa, Ethopıa, Macedonıa, Swıtzerland, Venezuela, Estonıa, Pakıstan, Spaın, New_Zealand, Slovenıa, Italy, Turkmenıstan, Algerıa, Mexıco, Bahama, Newguınca, Iraq, Norway, Malezıa, Cuba, Taıwan, Austrıa, Japan, Belgıum, Nıgerıa, Korea, Ecvator, Chılı, Fınland, Chına, Kongo, Indonesıa, Lıbya, Israel, France, Paraguaı, Gurcıstan, Portugal, Morocco, Zaıre, Iran, Indıa, Poland, Kazakhstan, Romaın, Australıa, Poland.

Su, tinsel yeniden doğuş, arılaştırmak, vaftiz etmek için, başlatan ya da kutsayan herhangi bir deneyim. Paradoksal bir dünya için yazılmış bir güzelleme, ya da bir ağıt.

GECE

Bir süredir ne zaman başımı kaldırıp baksam bir defterin başında yakalıyorum onu. Özellikle de geceleri.

Önce özenle kesip biçtiği altın yaldızlı bir ceket giydirdi deftere; yakasının altına da simlerden yaptığı, gösterişli bir broş iliştirdi. Doğrusu bu müdahalenin defteri ne kadar değiştirdiğini itiraf etmem gerekir. Masanın üzerinde öyle boylu boyunca yatıp durduğu bunca zamandır ilgimi bir kez olsun zerre kadar çektiğini söyleyemem; ama şimdi bu alımlı, frapan deftere dönüp dönüp bakmaktan ben bile alamıyorum kendimi.

Gece inip etrafa sessizlik çöktüğünde yine defterin başına geçiyor, çevirdiği boş sayfalara uzun uzun, sanki bir ses işitmeye çalışır gibi bakıyor, sonra bir süre gözleri kapalı bekleyip yeni bir sayfayı açıyor. Bir şey yazdığı da yok. Kafasından geçenleri kağıda dökebilmek için sözcüklerin sihrine muhtaç, ilham bekleyen bir yazar gibi, kendi kendine bir şeyler mırıldanıp duruyor.

Geçenlerde bir gece, onunla hiç ilgilenmiyormuş gibi yapıp bir yandan da göz ucuyla sürekli onu süzerken, defterle sürdürdüğü bu sessiz meşguliyetin süratle tarz değiştirmiş olduğunu fark ettim. Bir dolu parıltılı, küçük zamazingoyu sakladığı plastik kutularını masaya getirip defterin yanına koymuş, kutulardan çıkardığı ıvır zıvırı sayfaların üzerine bir döküp bir topluyor, bir koyduğunu kaldırıp bir yenisini koyuyor, beğenmediğinde bozup yeniden başlıyordu. Meraktan çatlamama rağmen, onu rahatsız edip işine burnumu sokmak istemediğimden, zor da olsa kendimi tutup defterle arasına girmedim ve bütün geceyi yaptığı şeyi bitirmesini bekleyerek geçirdim.

Sabahın ilk ışıklarıyla uyandığımda çoktan odasına çekilmişti. Uyku sersemliğimi üstümden atınca, sabaha kadar bu koltuğun tepesinde neden uyuklayıp kaldığımı hatırladım ve Füsun'un saatlerce başından ayrılmadığı masanın üstündeki yorgun ama mutlu, geceden kalma defterin sırrını çözdüm: *Nocturne...* Gece müziği; gece için, geceden esinlenerek, gece çalınmak üzere...

-

Defterin ilk sayfası, üzerine işlenmiş tek bir heceyle, basit bir motifle açılıyor.

Nakışlı motifin yan sayfada biraz daha devam ettirilmesiyle birlikte bir dize, bir satır başlatılır gibi olsa da, hemen yarım bırakılıyor.

Sayfa çevrildiğinde kaldığı yerden tekrar başlatılan dize, aynı motifin peş peşe eklenerek çoğaltılması sayesinde biraz daha uzasa da, satır tamamlanmadan kesilip yine aniden susuyor.

----

o o o

Arka sayfada üçüncü kez tekrarlanan bu çizgisel ve sessel ilerleme, önce bir satır boşluğu ölçüsünde sürdürülen kısa bir sessizliğe, ardından da şeffaf boncukların ve pırıltılı pulların seslendireceği yeni bir doğrusal motife terk ediyor yerini.

˙○ ○ ○ ○ ○ ○ ○ ○ ○

(.*+[ )*%+'
^ '* * +*
 - + * +*
      ^

Sonraki sayfaya geçilince tekrar beliriveren bu pırıltılı yeni motifi, daha da uzun açılan bir satır boşluğunun uzun sessizliği ve simlerle dokunmuş üçüncü, amorf bir öğe izliyor ve böylece bütün enstrümanlar sahnedeki yerlerini almış oluyorlar.

Defterde biraraya getirilen tüm bu öğeler sayfalarca *tekrarlanarak, değiştirilerek, benzerleri veya karşıtları ile yinelenerek özgür uğraşlarına koyulduklarında oluşan uyumdan yapıtın düzeni kuruluyor.*

Nakışlarla boncuklara az sonra yaylılar ve zilliler eşlik etmeye başlıyorlar. Derken, *bir meleğin zar kanatlarını* andıran incecik bir tül eteğini hafifçe aralayıp, yaldızlı bir çerçeveden içeri esiyor.

İ Z

Tül gibi hafif dokuma kumaşın şeffaflığı, inceliği, kırışıklığı, büklümlülüğü, kıvrımları ve dalgalanışı hoşuna gider Füsun'un. Evin her köşesinde tül parçacıkları, saten kumaş örnekleri, ipekli kumaşlar görmeye öyle alıştım ki, herhangi bir sebeple herhangi bir çekmece aralanmaya, ya da birkaç gündür el değmeden kendi haline bırakılmış bir sehpa veya masanın üstü biraz olsun toplanmaya, komodinlerin şifonyerlerin gözleri açılmayagörsün; renk renk, çeşit çeşit, yanar döner, boyalı oyalı, dikişli nakışlı, fistolu aplikli kumaşlar kırpık kırpık, kırış kırış, parça püstük gizlendikleri yerden ortaya çıkar; oradan alınıp açıla saçıla, katlana büküle, gerine gerile başka bir yere yerleştirilirler. *Kumaşa düşkünlüğünün kökenlerinin, beş yaşındayken giydiği bir organze giysi nedeniyle çocukluğuna dayandığını düşünüyormuş; dini bayramlarda ona verilen dantelli mendillere, nakış işlerine...*

Köşe bucak evin her yerini ele geçiren bu kumaşlarla kendine giysiler dikip de giydiğini filan sanmayın sakın. Kumaşlar onun elinde hiç akla gelmedik işlere koyuluyorlar. Kimi zaman bir sergisini kurmaya giderken atölyedeki komodinin en alt çekmecesinden beyaz tülleri alıp yanında götürüyor mesela. Gittiği yerden ödünç aldığı sandalyeleri bunlarla giydirip, damla şeklinde, kıpkırmızı cam boncuklarla fiyonk yapıyormuş üstlerine. Payetli pullu eski bir yazmayı omuzlarına atıp küçük, gevşek bir düğümle önünden sarkıttığı pembe boyalı bir tuvali var örneğin, bildim bileli atölyede aynı duvarda asılı durur. Ama sadece albümlerdeki fotoğrafından tanıyıp kendisini görememiş olduğuma en çok hayıflandıklarımdan birini Füsun Almanya'da sergiledikten hemen kısa bir süre sonra Fransa'ya göndermiş; orada yaşayan eski bir dostun özel koleksiyonuna. Belki bir gün yolu yine buralara düşer de, o herkesin anlata anlata bitiremediği büyülü kutuyu ben de bir görürüm diye ümit etmişimdir hep. Fotoğraftan bile anlaşılan kalitesinden dolayı kıymetli şeyler saklamak üzere yapıldığını düşündüğüm bomboş bir ahşap kutunun zeminini kaplayan kırmızı *saten kumaş bükülüp buruşturularak kabartma harflerle "İstanbul" yazılmış. Kutunun içindeki mücevher alınmış; kendi yok olmuş da, geriye sadece izi kalmış gibi.*

HAYAL KABİNİNDE

Sabun kokulu, çiçek desenli, hâlâ hafifçe nemli nevresimi çamaşır ipinden kaçırıp masanın dört bir yanından sarkıtarak ahşap bacaklar arasında yaratılan güvenli yuvayı; ya da yatağın üstünden çekilen kapitone örtüyü karşı karşıya konmuş iki iskemlenin arasına yayarak yapılan, ben diyeyim barınak, siz deyin sarayları çocukluğunda sevmeyen yoktur sanırım. Örtülerin altında, çarşafların arasında, gözlerden uzak, en mahrem sırları, en olmadık düşleri, en tuhaf fantezileri içlerinde saklayan ev yapımı kaleler, derme çatma şatolar, fildişi kuleler... Boyu herkesin boyuna, posu herkesin posuna...

...göre. İşte tıpkı bunlar gibi, içindeyken dışarıdan kimsenin sizi fark etmeyeceği bir hayal kabinini çağrıştıran, masmavi bir odanın önünde duruyormuşuz Füsun'la. Aslında yıllar önce yapmış bu odayı da, nedense önüne ancak şimdi gelebilmişiz. Aynı dönemlerde, boş bir çerçeveye enine boyuna mavi ipler gererek yapmış olduğu ve gösterildiği birkaç sergi dışında hemen her zaman atölyesinde asılı duran, benim o çok beğendiğim resmi – duvar nesnesini – de anımsatıyor önümüzde duran oda. Resmin üçüncü boyuta gelmiş hali sanki... Mucizevi bir şey olmuş da, resim asılı olduğu odanın duvarından ayrılıp havalanmış, tavanın altında büyüye genişleye, iplerini saçlarını tellerini aşağı sala sarkıta, bütün odayı yüzüstü kaplamış. Öyle ya, *resim niçin duvarda, çerçevede kalmalı?* Yüzeyler hacimlere dönüşmüş, an'lar zamanla uzamış, duruşlar adımlara açılmış, santimler koşuşmaya başlamış.

"İçeri gel" diye seslenip, odanın tavanından itiş kakış, bitişik nizam sarkan mavi iplerden sır perdesini eliyle hafifçe aralıyor girmem için. Başka bir boyuta geçmek üzere olduğumun farkındayım. Tam ortada, yere serilmiş rahat bir şilte uzanmamı bekliyor. -Uzanın şimdi lütfen. Eski eşyaların, masa sandalye altlarının gizemli boşluklarında bir çocuk gibi, gözleriniz yarı kapalı yarı açık, uykuyla uyanıklık arasında... Başınızın üzerinde iplik iplik, pul pul, benek benek bir gökkubbe... Bakın: *Şıkır şıkır gök / Düğün eviymiş gibi- / Yıldız cümbüşü.*

İSTANBUL

Her şeyden önce, kesinlikle görülmeye değer, hâlâ nefis bir manzara.

Son zamanlarda pencereden Boğaz'a bakıyorum da, her gün bir yenisi eklenen yüksek rezidanslardan, gökdelenlerden, iş kulelerinden sırtı diken diken olmuş karşı yakanın. Dışarı baktıkça evde de bir sıkıntı, zaman zaman bir isyan... "Aaa, bak, yeni bir tane daha," diye şaşırıyor İlhan. "Ama bu kadarı da olmaz," diye söyleniyor Füsun. Vinçler başlarını bir oraya bir buraya çevirdikçe, İstanbul'un silueti hızla değişmeye, hırçınlaşmaya, asabileşmeye devam ediyor.

Bir "İstanbul Takıntısı"dır ki sorma gitsin!

Pencerenin önünde uzandığım yerde, yine biz daha tanışmadan çok önce yaptığı eski işlerinden birini düşünüyorum. Kumaş panoları bir bal peteğinin çeperleri gibi altıgen bir düzende yerleştirerek oluşturduğu bu küçük odacığa girdiğimde, haute couture bir giysinin içindeymişim gibi, sımsıkı, çepeçevre sarıldığımı hissediyorum.

Her birine parlak taşlı, sim işlemeli, şeffaf organze giysiler astığı bu kumaş duvarları üflesen efil efil dalgalanacak, kanatlanıp uçacaklar sanki.

Füsun, elbiseleri astığı askıları kubbe şeklinde bükmüş, şeffaf giysilerin üstüne de geleneksel motifleri anımsatan işlemeler eklemiş. Odayı bu haliyle dışarıdan ilk hayal ettiğimde kumaş perdeler üzerinde beliren yalın gölge oyunlarına, İstanbul'u anımsatan dokunaklı güzellikteki siluetlerine kaptırmış gitmiştim kendimi. Ortadaki fiskos masanın üzerinde duran fotoğraf albümünü aralayıp eski İstanbul fotoğraflarını karıştırırken, nasıl olduğunu anlamadan yine dalıp gitmişim işte.

Her kim ki bu odaya girer, siluetin bir parçasıdır artık.

GARDIROP

Alt kattaki atölyenin koridorları, gizli geçitleri, rutubetli dehlizleri, mağaraları, galerileri, zaman tünelleri içinde yaptığım gezintilerde kaybolmamayı öğrenmem epey vakit aldı. Neyse ki artık ne ararsam elimle koymuş gibi bulabiliyor, gitmek istediğim yere gözüm kapalı gidebiliyorum. Yine de her gezintimde kendimi başka bir serüvenin içinde sürüklenirken bulduğum, her defasında bütün duyularımı harekete geçiren, sürprizlerle dolu bir yer burası. İşte hemen girişte, sağda yer alan çikolata kapı, üzerindeki kes-yapıştır etiketlerden dev menüsüyle mutfağa açılıyor:

Lindt Cognac   *Nussknacker*

Trumpf Schogetten

Lindt Lindor   *Ritter Sport*   *Walkers*

Siegel Marke

Grisbi   *Rahm Mandel Alpia*

*Kinder
Schokolade*   *Weisse Crisp*   *Choco Friends*

Thin Mints   *Sole*   *White Dreams*
                 Mio   *Frey Duett*

Choceur

Lindt Excellence

Rahm Mandel

Lindt Pistache

J.J. Blanc   *Griesson*

Original Schweizer

...

Çikolatalı kapının üzerinde bulunduğu uzun koridorun karşı duvarı boyunca devam eden geniş bölüm – eser sandıkları, mukavva kutular, pleksi levhalar, baloncuklu naylonlara sarılmış boy boy, biçim biçim paketler, katlanmış kraft kağıtları, selofan rulolarıyla – tıklım tıklım dolu, içinde dolaşmaya doyum olmaz bir labirent. Koridorun sonunda geniş bir odaya açılan, üzerine küçükken Füsun'un mavi fon üzerine kırmızı bir çiçek buketi boyadığı çiçekli kapı. Odada tam karşıda, hafifçe aralık kalmış iki dişi arasından günışığı sızan panjurlu ahşap kapı – şu an kapalı olduğu için manzarayı göremesem de – Boğaz'a bakan terasa açılır. Sağdaki iki kanatlı kapının bir kanadında, kollarında çiçek sepetleriyle bir çiçek takının altından geçen bir kızla bir oğlan resmedilmiş – bu sihirli geçiş anını hiç değiştirmeden sonsuza dek tekrarlayacak gibiler. Kapının diğer kanadındaki üzümler ve kirazlar da tazeliklerini hiçbir zaman kaybetmeyecekler gibi. Camlı üst bölümleri sıkışıklıktan yer yer üst üste bindirilmiş davetiyeler, eski gazete kesikleri, fotoğraflar, kartpostallarla kaplı bu kapının açıldığı, bir öncekinden biraz daha geniş odayı, vitray bir pano hafifçe ikiye böler. Panonun renkli camlarının ardında saklanmaya çalışır gibi sırtını iyice duvara yaslamış, hiçbir özelliğiyle dikkat çekmeden öylece duran alelade gardırobun kapısını hafifçe aralayınca...

...sanki bayramlar seyranlar gelecekmiş, düğünler dernekler kurulacakmış da, çoluk çocuk hep biraraya toplanmış; uçuk uçuk maviler, açık saçık pembeler, yavruağızları, nar çiçekleri, lilalar, kremler; kehribar, kemik, sedef düğmeler; ponponlu rugan pabuçlar; danteller, fiyonklar, pilili fırfırlı etekler. Alt rafta Füsun'un kendi boyadığı *dal dal nazlı nazlı* karanfiller, laleler, sümbüller; sapsarı güneş ışınlarını mavi yağmurlar ıslatıyor... Saten kaplı bir şeker kutusunun kapağında günbatımı; ufuklar gölgelenmiş, çarşaf gibi durgun bir göl, göl kıyısında yalnız bir ev. Üzerinde kuşların kanat çırptığı teneke kutuda melek yüzlü bebekler, Baby marka elbise fırçası.

Telefon Beyoğlu 3632

PAZAR DE BEBE

D. CİMOS ve V. KAÇUDI

BEYOĞLU İSTİKLAL CADDESİ, No. 425-427

Çocuklara mahsus elbiseler ve levazımatı

Füsun, İlhan ve erkek kardeşleri Senih'in çocukluktan kalma giysileri, oyuncakları, aksesuarları – yıllar öncesine ait bu levazımat – atölyedeki dolaba yerleştirildikleri günden beri, yerlerinden hiç kıpırdamadan, aynı düzen içinde, kimbilir kaç zamanın tozu, pusu, sisiyle, yine de cıvıl cıvıl, masum, şen şakrak. Sanki dolabın içinde gizli bir kapı daha varmış da, o kapıyı keşfeder diğer tarafa geçerseniz, elbiseler yepyeni, tertemiz, tam üzerinize oturacaklar. Geride bırakılmış çocukluk yıllarından, uçarı ergenlikten bugüne kalanları bir mücevher kutusu gibi koruyan bu dolabın kapısını tekrar kaparken, itinayla katlanıp üst rafa kaldırılmış bir elbisenin üzerinden beni süzen Mona Lisa'nın bakışlarıyla karşılaşıyorum. Bir yanında elle boyanmış bir gazete-elbise duruyor. Bir elbise-gazete mi yoksa? Cemiyet haberleri, günün şiirleri, meşhur portreler köşesiyle katlandığı yerden okuyabildiğim kadarıyla:

> *Leyla Gençe*
> *kıymetli sopranomuz Leyla*
> *Metropoliten operasında temsil*
> *operası Romada büyük bir s*
> *sopranomuz temsilden sonra d*
> *çağırılmıştır.*

BORDO ELBİSE

Giy-çıkar, giy-çıkar, giy-çıkar, giy-çıkar...

Elbise prova etmekten sıkılıp, bu gidişe bir son vermek için, içlerinden en sade olanında, Fransız malı, dümdüz bordo bir elbisede karar kıldı. Sergisinin açılışına gelenler, yaptıklarından muhtemelen yine hiçbir şey anlamayacak, her zaman olduğu gibi uzun saçlarından dolayı onu hafife alacaklardı. Önden düğmeli, neredeyse bir önlük kadar sade bu elbise, hiç değilse ona biraz daha ağır bir hava verir de, işlerine bakanları ciddiyete davet edebilirdi. Sonuç olarak bu anlamda pek işe yaradığı söylenemezse de, içinde kendini çok rahat hissettiği bu giysiyi, sonraları başka açılışlarda, davetlerde de daha pek çok kez giydi.

Ondan yıllar sonra, bundan yıllar önce, Paris'teki bir sergiye katılırken, onu bu kez giymek için değil, sergilemek için yanında götürdü. Beyaz tülden bir kılıfın içinde askıya geçirip duvardaki bir çiviye astığı giysinin içini pamuklu bir telayla doldurmuş, yakasını, kollarını ve eteğini dikerek simsıkı kapamıştı. Giysinin etek bölümünün iki yanına 1972–1996 tarihlerini teğelleyerek, o güne kadarki sanat kariyeri boyunca birlikte sürdürdükleri tanıklıklara, tanışıklıklarına, bu uzun yol arkadaşlığına bir başlangıç ve bir son düştü. Bordo elbiseyi herkesin kendi dilinde rahatça okuyacağı rakamlardan oluşan yeni ismiyle ("1972–1996") yıllar sonra üretildiği anavatana götürmeden önce, eteklerine pembe kumaştan güller serpip, üzerine üçgen şeklinde iki pencere açtı. Beline de taşlı simli bir parça kuşak; bir üç etekten kopmuş da mı gelmiş desem, bindallıdan mı, bir cepkenden mi desem, pirpiriden mi...

KÖPRÜ

Terasın suya derinlemesine inen yosun tutmuş basamaklarının başladığı – ya da bittiği – yerde sırtüstü uzanıp gözlerimi yumuyorum. Karanlığımdan içeri sızmak için gözkapaklarımda tepinip duran sabah güneşi öylesine parlak ki, sıkı sıkıya kapalı gözlerimin önünde hayaletimsi renkler uçuşmaya başlıyor:

Yusyuvarlak sarı bir şekil sağa doğru ağır ağır kayarken giderek kızıllaşıp görüntüden kaçıyor. Önce uysal bir bulut kümesini andıran pastel maviler aniden hızlanarak koyu lacivert bir fırtınaya dönüşüyor ve yukarı doğru döne devrile gözden kayboluyorlar. Ardından her yeri kıpkırmızı bir ışık kaplıyor. Kırmızılık yavaşça solmaya baş layıp bir parça maviye bulaşarak eflatunlara, turkuazlara, turunculara, küf yeşillerine, morlara bölünüyor. Derken galaksinin derinliklerinden ışık hızıyla kopup gelen floresan beyazı yuvarlak patlamalar diğer renklerin hepsini bir çırpıda yutup geride bembeyaz bir ekran bırakıyorlar. Derinden derine açıklı koyulu mavilerin ve yeşillerin köpüklenmeye, çalkalanmaya, su yüzüne çıkmaya başladığı ekranda aniden üç floresan pembe şekil belirip, dördüncü ve diğerlerinden daha büyük başka bir pembeyle hizaya giriyorlar...

Sabah güneşinin hafifçe ısıttığı terasın taş döşemesi üzerinde sağıma doğru kıvrılıp, akıntılarla hafif hafif bir kabarıp bir alçalan Boğaz'ın sularına, bir buluşup bir dağılan dalgacıklarına bakıyorum. Küçük, pembe bir şişme bot ve peşine takılmış aynı renkte üç şişme yastık, oldukları yerde sayıp duruyorlar. Sanki Füsun'un aklından yine bir şeyler geçmiş de, sonunda renkler, formlar ve devinim aklından geçenlere boyun eğmiş, yeni bir düzen içine girmişler.

Suyun üstünde peş peşe yüzen bu dörtlü, sürekli yön değiştiren güçlü akıntılara ve rüzgâra rağmen, şaşırtıcı bir şekilde ne ileri ne geri, bir kulaç bile yol almıyorlar. Aralarındaki ritmik düzen hiç bozulmadan, Boğaz'ın anbean değişen çalkantılı ritmine ayak uydurmak için, fosforlu renklerini sulara döke saça bir hoplayıp bir zıplıyorlar.

Derinliklerinde bir yerlerde takılıp kalmış *gazoz şişeleri, ayakkabı ve çizme tekleri, paslanmış konserve kutuları, gözlük ve şemsiyeler, küpeler, yüzükler, altın bilezikler, kahve değirmenleri, kuşları yosun tutmuş guguklu saatler, midyelerin zırhıyla kaplanmış kara piyanolar, sedefleşmiş bir televizyon ekranı, pirinç bir avizenin patlak ampulleri,* kayalara takılıp kalmış balık ağları, Hıdrellez sabahı suya atılmış dilek keseleri, pişmanlıklar, sevinçler, hayal kırıklıkları üzerinde bir ine bir çıka, köpüre kabara, dura sakinleşe akan Boğaz'ın ritmine gün boyu eşlik eden dört notalık bir motif... Hiçbir yere ulaşmaya çalışmadan, suyun içinde başlayıp suyun içinde biten, dört adımlık bir köprü. *Yerde bir not olacak: "Ben en çok denizi ve balıkçıları sevmiştim. Elveda."*

Derken bir balıkçı motoru geçiyor:

   patapata patapata patapata patapata patapata patapata patapata

Ardından düdüğünü öttüre öttüre Eminönü – Anadolu Kavağı seferini yapan Şehir Hatları vapuru:

   Vu Vu Vu roro rororor
   Vu Vu Vuuu roro rororor
   Vuuu roro Vuuu rororo
   Vu Vu Vuuu

Derken yerli turistler için müzikli danslı tur teknesi:

   Gidiyom gidemiyom gülümamanaman...
   C´est la danse des canards
   Qui en sortant de la mare
   ...Hop cimdallı cimdallı kızlar giyer bindallı

Hemen peşinden rehberli Boğaz turu yapan başka bir tekne:

> *Evet Kuzguncuk camisi ve Kuzguncuk kilisesi,*
> *You'll now see the mosque.*
> *Et si vous regardez un peu plus haut, vous allez voir l'église de*
> *Kuzguncuk située dans le jardin.*
> 教会は財団法人の所属地内にある。

Sanki bir şey beni dürttü, bir serinlik yalayıp geçti de, uzandığım yerde sıçrayarak doğruldum. Az önce bir balıkadam mı geçti yanımızdan? Yanlış görmedim değil mi?

Kameranın vizöründen son kez bakıp sesleniyor Füsun:

> *ARKADAŞLAR, PAYDOS!*

şampanyalar, çilekler, çikolatalar, likörler

Güneş Boğaz'ın üzerinden çekilmeye hazırlanırken gözlerim pembe botu boşuna arayıp duruyor.

uçan balonlar, havai fişekler, konfetiler, kuyruklu yıldızlar, yaz yağmurları

Şalalalal lala !!!

FISILTI

Çapraz bacaklı küçük bir portatif sehpayı ya da alçak bir tabureyi anımsatan ahşap bir form, gözlerimin önünde yedi adım atıyor.

Her adımında, üstten başlamak üzere aşağıya doğru biraz daha eksilip, bir fısıltı gibi küçülüyor.

KALDIRIM KENARINDA SU

> *Çok güzel bir rüya:*
> *Asfaltın üzerinde*
> *Su var ama ayaklarım*
> *ıslanmıyor.*

Kaldırım kenarında biriken suya eğilip susuzluğunu gideren kedinin, ya da

top oynarken etekleri havalanan kız çocuğunun sudaki yansımalarını yakalamak için,

bir parça pleksiglas levhanın altına desenli ambalaj kağıtları, poşet parçaları, bir yerlerden bulup kestiği resimler yapıştırıp duvarın dibine bırakıveriyor.

Bir su birikintisi üzerinde olup bitenlerin suya nasıl göründüğünü, suyun gördüğünü, -görüyorum.

GÖLGELER, IŞIKLAR

Pencerelerden süzülüp içeri düşen günışığı aynalara, porselenlere, kristallere çarpa çarpa gün boyu evin içinde dolaşıp durdu. Duvarların, halıların, döşemelerin üzerinde gezine gezine biraz orayı soldurup biraz burayı parlatmaya devam ederken, gün battı, akşam gelip çattı bile.

Avizelerin, abajurların ışıkları, birazdan pencerelere, balkon kapılarına, onları örten perdelerin desenlerine vurmaya başlayacak. Nöbet başındaki gardiyanlar gibi evin cephe duvarları üzerine sıra sıra dizilmiş, içerisiyle dışarısı arasında kendilerini siper eden ahşap çerçeveler, *bir yüzleri zifir bir yüzleri aydınlık*, kendi gölge oyunlarını başlatacaklar.

Uzunca bir süredir bu kapı pencere çerçeve meselesi kafasını kurcalıyor, onları sanki duvardan resim indirir gibi yere indirip serbest bırakmak, onlara yeni bir boyut kazandırmak için yanıp tutuşuyordu. Ayakta durabilmeleri için biraz elden geçirtip atölyede biriktirdiği kırık dökük, çarpık çurpuk çerçeveleri, üst üste dayalı durdukları köşeden alıp odanın içine rastgele dağıttı. Üzerlerine Karagöz derisinden kestiği eğri büğrü şeritler, düzensiz tuhaf formlar yapıştırıp, görünür görünmez izler, belli belirsiz süsler, soluk silik renkler, nihayet zamanın izlerini ekledi: -biri dolu biri boş; üç açık beş kapalı; biraz gölge biraz ışık, kimi sönük kimi yanık...

Kendini yaptığı işe o kadar kaptırmış ki, dönüp de az bir baksın, biraz çene çalalım, azıcık çan çan edelim diye, ona yanında olduğumu hatırlatmak için, başlıyorum ben de... aslında ne içeri ne dışarı, yalnızca kendine doğru açılan bu pencereleri, kapıları, teker teker;

çala vura
     aça örte
ite çeke
     vurup çarpıp
gidip dönüp
     girip çıkıp
geçip durup
     kimi zaman
zaman zaman
     gel zaman
git zaman
     , gölgelerime karışıyorum.

SELOFAN RÜYA

Alt katın ışıkları söndürüldü, sigortasından kapatıldı. Holdeki tırnağın üstünde duran abajurun fişi çekildi, aplikler düğmelerinden çıt çıt söndürüldü. Yatak odasında başucu lambaları yakıldı, banyo ve mutfağın ışıkları bir kez daha kontrol edildi.

Bordo püsküllü, tek ampullü lambaderden yayılan cılız ışıkla aydınlanan salona dönüp, müzik kutusunun üzerindeki minyatür berjeri birkaç kez çeviriyor Füsun. Bırakır bırakmaz müzik eşliğinde gerisin geri ağır ağır dönmeye başlayan koltuğun desenli minderinde bir vakit birileri oturmuş da, hafızamda sadece habire kıpır kıpır yerde oynattığı ayaklarıyla, kanepeden aşağıya sarkıttığı bacakları kalmış nedense geriye.

"Nereden baktığımla alakalıdır herhalde," diye düşünüyorum. "Eğer bir bacak varsa, bir şekilde yukarıya devam ediyor olmalı."

Başımı yukarı kaldırdığımda koltuğun sırtına yapışmış bakan bir çift göz, "Olabilir de, olmaya da bilir," der gibi, eski bir fiskos sehpanın üzerinde dikilip duran bir çift plastik bacağı işaret ediyor. Masanın oymalı ahşap bacaklarından biri, onu doğrularcasına yerinden fırlayıp, duvara dayalı duran bir resmin kenarına asılıveriyor. Eşyalar kendi aralarında değişe tokuşa, itişe kakışa, alışa verişe, biraz ondan buna, biraz bundan ona...

...bazan bir şey görünür gibi oluyor bazan bir şey görünmüyor.

Gözkapaklarım giderek ağırlaşırken, serinliğinin üstüne gevşekçe bıraktığım ağırlığımla çukurlaşan bebek mavisi saten örtü, küçük kapitone dalgalarla yatağın dört bir kenarına akıp yumuşak kıvrımlarla aşağıya, derinlere doğru usulca süzülüyor. Birazdan bir el suyu zarif bir hareketle kenarından tutup kaldıracak, selofan mavisi bir dalga üzerimden aşıp beni içine alacak. Artık rüya denizimin ortasındayım.

Müzik başlamadan ya da bittikten sonraki büyük sessizlik,

Bu metindeki italik dizilmiş kelimeler, yazarın süreç içinde okuduğu, duyduğu ve esinlendiği kaynaklardan ödünç alınmıştır. Bunların arasında, Füsun Onur'un farklı zamanlarda yazdıkları, söyledikleri, karaladıkları; Lewis Carroll'ın *Alice Harikalar Diyarında* ve *Aynadan İçeri* kitapları; Lale Müldür'ün şiirleri (*Saatler / Geyikler*); Celal Sılay'ın şiirleri (*Hüsran Filizleri*); Sevim Burak'ın eserleri (*Yanık Saraylar*); İsmail Uyaroğlu'nun şiirleri (*5/7/5'ler*); Orhan Pamuk'un romanları (*Kara Kitap, Masumiyet Müzesi*); Margrit Brehm'in Füsun Onur monografisindeki yazısı (*Dikkatli Gözler İçin*); dOCUMENTA (13) kapsamında yayımlanan Füsun Onur kitabındaki metinler (Defne Ayas'ın yazısı; Carolyn Christov-Bakargiev'in yazısı ve Hans Ulrich Obrist'le birlikte sanatçıyla yaptıkları söyleşi); arkadaşların anlattıkları çocukluk hikâyeleri, kullandıkları uydurma kelimeler, gönderdikleri telefon mesajları; İstanbul Boğazı'nın sesleri; Hayri Onur Yalısı'nda geçen konuşmalar; evin içinde oraya buraya dağılmış kelimeler, harfler bulunuyor.

sayfa | pages 25–33

Beyaz Kağıt Üzerinde Alan Ayırmak
Dividing Space on a White Piece of Paper
1965–1966
Eskizler | Sketches
Her biri | each: 30 × 22,5 cm

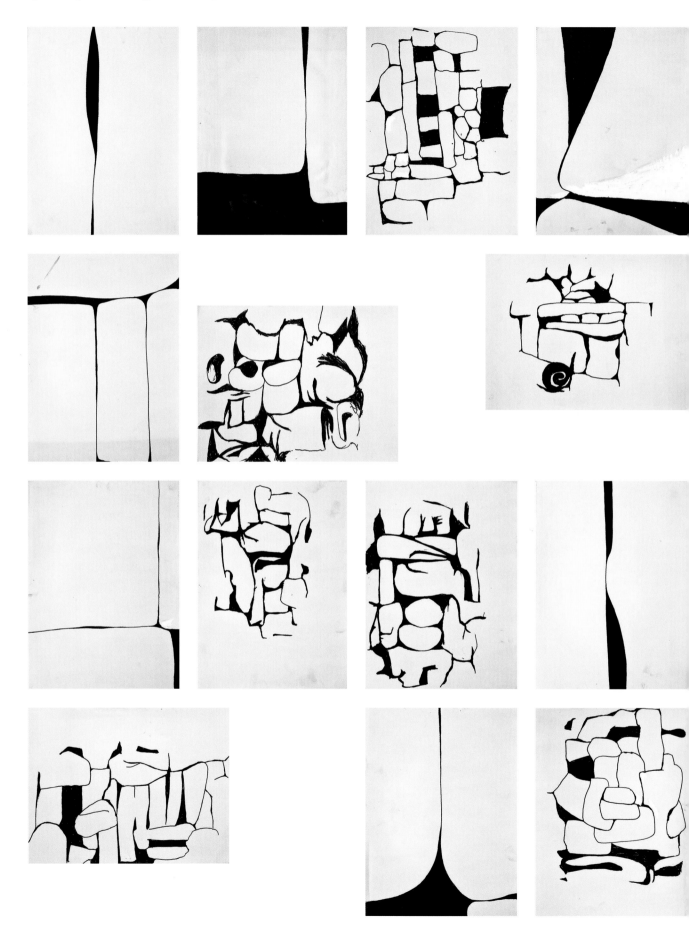

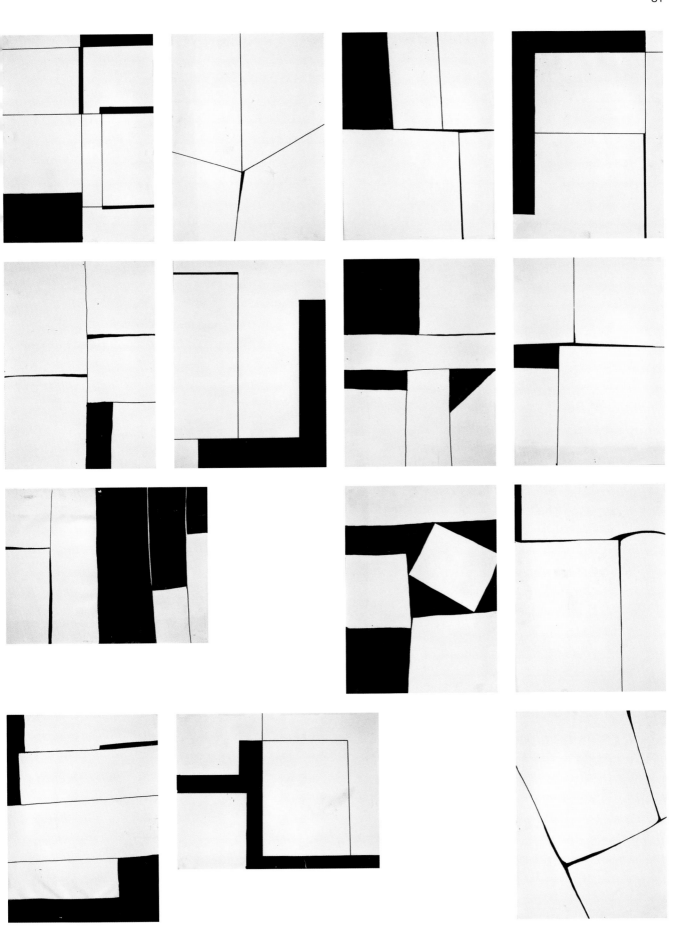

sayfa | pages 25–33

Beyaz Kağıt Üzerinde Alan Ayırmak
Dividing Space on a White Piece of Paper
1965–1966
Eskizler | Sketches
Her biri | each: 30 × 22,5 cm

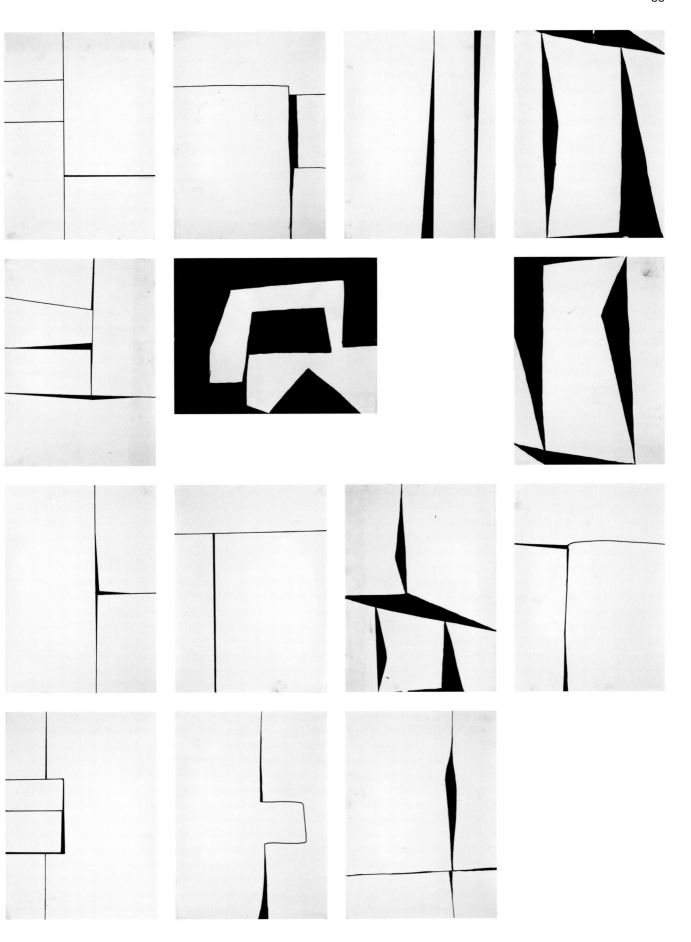

Burası | This Place
1993
Kalın sac | Metal sheet
34 × 74 cm
Yerleştirme görüntüsü |
Installation view:
ARTER, 2014

*Bir yapıt, ister somut
ister soyut, yeter ki
varlık olabilsin. Sanat
yapıtı varlık olabilmişse,
geçmişi, geleceği,
şimdisiyle her zaman
şimdide kalacaktır.*

*A work of art can be
concrete or abstract,
as long as it is a being
in its own right. Once
it is a being, it will always
remain in the now;
with its past, future
and present included.*

Füsun Onur, "Resim, Heykel Sorunları" [Problems of Painting and Sculpture], *Politika*, May 29 Mayıs 1976

sayfa | pages 37–39

İsimsiz (maket)
Untitled (model)
1972
Strafor | Styrofoam
100 × 100 × 100 cm

*Bu yapıt "Aynadan İçeri"
sergisi için 300 × 300 × 300 cm
ebadında, ahşap ve pleksiglas
ayna ile yeniden üretilmiştir.*

*This work has been reproduced
with mirrors and plexiglas in
300 x 300 x 300 cm for the
exhibition "Through the
Looking Glass".*

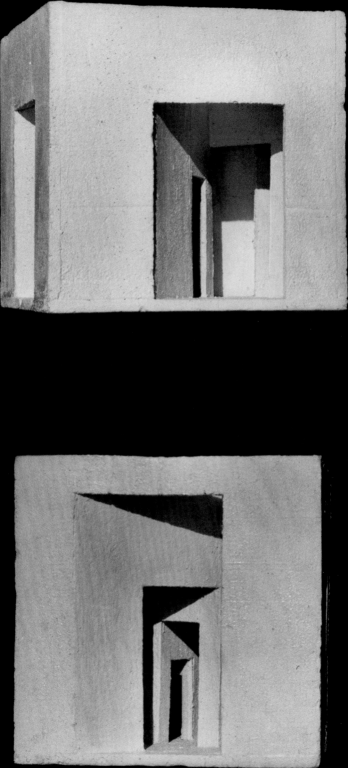

sayfa | pages 40–42

Burada Yıkananlar
Those Who Have Washed Here
1994
Tül, kumaş, iplik, kristal parçaları |
Tulle, fabric, thread, pieces of crystal
Yerleştirme görüntüsü |
Installation view:
ARTER, 2014

*...suskun sözcüklerdi
yerinden kopardım.*

*...silent words they were,
I plucked them off.*

Füsun Onur, bir söyleşi için Nilgün Özayten'in yönelttiği soruya cevaben | answering Nilgün Özayten's question for an interview

Buradaydı
She has been here
2008
Mekâna özgü yerleştirme |
Site-specific installation
Collection Davide Gallo
Koleksiyonu, Milan
Yerleştirme görüntüsü |
Installation view:
"Women of Light"
[Işık Kadınlar],
Galerie Davide Gallo,
Berlin, 2008

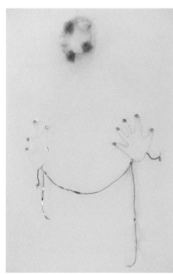

"Buradaydı" yerleştirmesinden
Merdiven |
Ladder from
"She has been here"
2008
Altın rengi zincir, mavi ip |
Golden chain, blue rope
130 × 35 cm
Collection Davide Gallo
Koleksiyonu, Milan

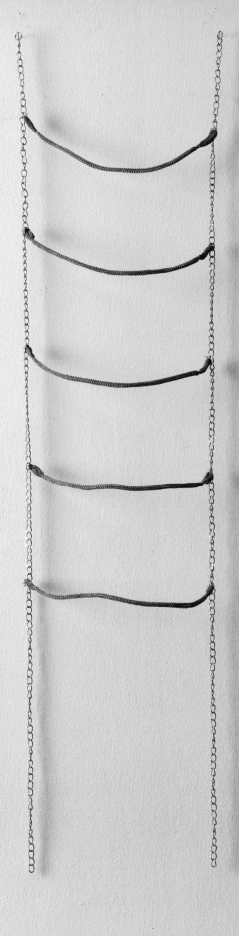

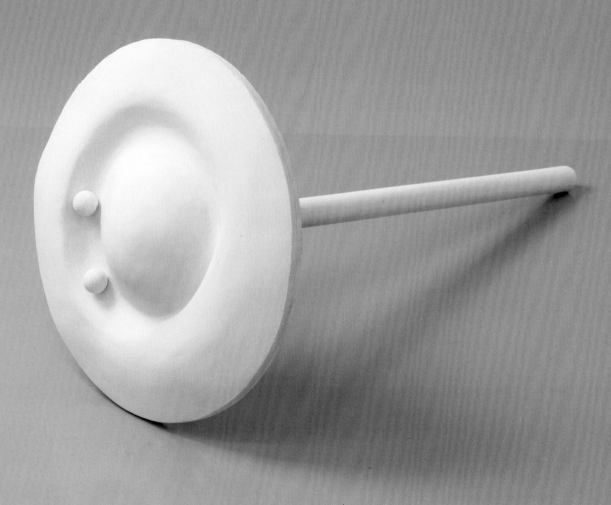

İsimsiz | Untitled
1970
Ahşap, alçı, boya |
Wood, plaster, paint
110 × 60 cm

İsimsiz (Çeşitleme)
Untitled (Variation)
1976
Ahşap, boya, tel |
Wood, paint, wire
Yerleştirme görüntüsü |
Installation view:
İstanbul Arkeoloji Müzesi |
Istanbul Archaeology Museum,
1976

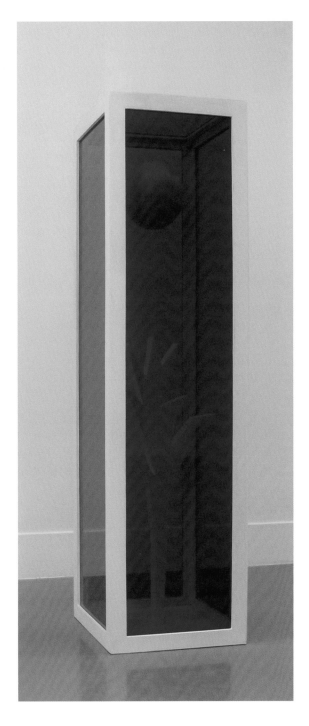

İsimsiz | Untitled
(1975) 2014
Ahşap, pleksiglas, strafor |
Wood, plexiglas, styrofoam
165 × 45 × 45 cm

İsimsiz | Untitled
(1973) 2014
Ahşap, boya | Wood, paint
Yükseklik | Height: 200 cm

İsimsiz | Untitled
(1971) 2014
Üç parçalı yerleştirme | Installation, three pieces
Ahşap, boya | Wood, paint

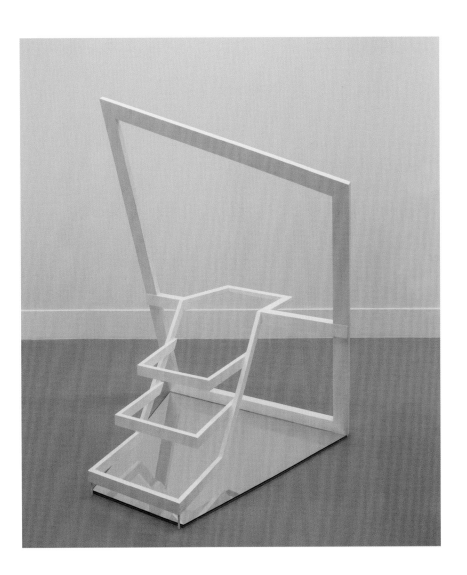

İsimsiz | Untitled
(1972) 2014
Ahşap, ayna, boya | Wood, mirror, paint
157 × 109 × 100 cm

Düş | Dream
1981
Boyalı ip | Painted rope
48 × 35 cm

*Sanatın sınırları
nerededir? Hem hiç
yokmuşçasına
alabildiğince geniş
hem de her iş kendi
iç mantığının
sınırlarıyla çevrili...*

*What are the boundaries
of art? On the one hand
it's vast, as if there are
no boundaries at all;
on the other, each work
is surrounded by the
boundaries of its own
inner logic.*

Füsun Onur, bir televizyon söyleşisi için Bülent Erkmen'in yönelttiği soruya cevaben |
answering Bülent Erkmen's question for a TV interview

Orient'te Buluşalım
Let's Meet at the Orient
1995
Balon, ipek, ip,
ahşap, bakır tekne |
Rubber balloon, silk, rope,
wood, copper washtub
Collection Van Abbemuseum,
Eindhoven, The Netherlands
Koleksiyonu

*Gerçek uzayda
gerçek oylumla
gizli oylumu,
uzayı vermek.*

*To reveal the
hidden volume
using real volume
in real space;
to offer the actual
space itself.*

Füsun Onur, "Modern Heykelin Türkiye'de Kavranması"
[Towards an Understanding of Modern Sculpture in Turkey], *Gösteri*, 1986

İsimsiz (Şekilsiz Form)
Untitled (Shapeless Form)
1971
Yelken bezi, pompa |
Sailcloth, pump
250 × 20 cm
Yerleştirme görüntüsü |
Installation view:
Paris Genç Sanatçılar Bienali |
Paris Biennale of Young Artists,
1972

Emre Baykal

Whoever enters this room...

OUTSIDE

Imagine that for many days in a row you kept walking past the same house. And kept at it, tirelessly, diligently. Coming up with all kinds of excuses, just so you can see the house. Whatever it is in there that you find so...

Imagine you walked past the house ten times, twenty times, forty... say, one hundred times.

(walks quickly to the market / slowly to the park / saunters towards the pier / looking pensive, heads right / looking wistful, to the left / with rapt attention, across the street / then, all the way back again / walks straight past / with a determined pace towards the main street / in an effort to remember, takes a turn towards the docks / looking straight ahead / with dreamy eyes / without a clue about the destination / trying to attract no attention / reluctantly / practically running / dilly-dallying / as if running away from someone / as if running after someone)

back-and-forth,   back-and-forth,   back-and-forth,   back-and-forth

So I say... Shall we stop a little now, before the house, but holding back nevertheless, hiding away, so that the house won't see you.

Imagine you hid behind the garden wall stretching along the pavement across the road; behind the fig tree growing in the lot next door; under the Chrysler that always parks in the same spot; behind the old couch abandoned on the pavement, or the rubbish bins at the end of the street...

Whatever it is there that you can't keep your eyes off, not for a second, not for a moment's blink...

All that is concealed from you by the timber boarding cladded in ruddle, spick and span; by the ashen tulle curtains listlessly drooping all the way down to the floor, tired and weary of the sun striking the iron barred windows; by the street door, opened only a few times a day and right away closed again... All this time, with wonder, curiosity, and longing even... All those living there, all the things that happened there, and all that's yet to come.

Watching, listening, imagining, thinking about the rooms in the house, the furniture inside its rooms, the smells from the kitchen, the dampness in the bathroom, the never-ever-changing order of the 5 o'clock tea tables, the creaking of the staircase, and all the sounds the house makes with each step taken within...

The more you dream of the house, the more the house will dream of you. The more you call out to it, the more it'll call out to you. The more you long for it, the more it'll long for you. The more you desire it, the more it'll desire you. It will push open its door, push it wide open for you... and your dreams will melt into each other.

INSIDE

It was Füsun who opened the door. I found myself frozen in bewilderment. *As if she was in one place, and I in another. As if in between two places.* Ready or not, here I come! -Hide! And then again: Füsun opened the door. Bewildered...

...I was frozen. The door had been left open. In my mind, a thousand times I had passed through it; and now, after a long interval of indecisive lingering – *you* decide how long – in but the blink of an eye, I entered through that door for the first time. Was it me that was strange, or did this house make me somehow... *I could remember feeling a little different. But if I'm not the same, the next question is, "Who in the world am I?"* I am "I" and There is "Here", no doubt about that.

I seemed to stumble a little. With red slippers on her feet, slowly and softly, she is walking after me. To the right, a coat stand; on the coat stand, a raincoat, a cardigan; on the cardigan, a brooch; to the left, a small floral patterned couch, a brass umbrella holder; you walk past, and right across it on the floor sits a giant copper flower. Opening out to the hall over a low doorstep, a wide door with many glass panels, two blue and the others frosted, gazes with semi-opaque eyes. Six more doors of different sizes in the hall, all opening out to different rooms; some are closed, some are open.

Through the door of the rattling and bubbling kitchen a head appears and smiles. "So you made it," says İlhan, with a joyful ring in her voice, "we were waiting for you".

The porcelain tea service patterned with bouquets of crimson flowers are set – in their usual order – on the white-clothed, lion-legged table in the hall. Was it the smell of the cinnamon buns, the homemade cookies and Maria's famous cheesecake – which I knew from the patisserie in the marketplace but had never tasted before – or was it the astonishing jumble of things invading this house with their colours, forms, smells and sounds that made me feel so dizzy, I couldn't figure out for a while.

The three small mirrors framed by elegant glass flowers and pink transparent filigrees, hanging above the red satin armchairs, are reflecting the orderly crowd of the living room, now from here, now from there.

In the blackened silver bowl, roses, violets and chrysanthemums.

A porcelain doll fallen asleep on her wooden carved chair.

On top of the vitrine cupboard with glass doors, a statuette – say, a gazelle, or perhaps a lamb – has sidled up close to the edge, and is cautiously peering around, getting ready to jump across to the wooden sideboard. Close by is stretched out a crimson cat, unperturbed, paused on the brink of rolling a crimson ball downwards. Underneath the umbrella of a merry-go-round, three plastic horses have stopped right in the middle of a jump to take a rest, looking as if they might kick off into a gallop and start spinning again any moment.

Porcelain, crystal, glass, wood, lace, silver, mother-of-pearl, feather, satin and velvet assume myriad shapes and forms, creating a peaceful crowd that fills up the vitrine cupboards, sideboards, coffee tables and shelves, manifesting in diverse sizes, colours, patterns, varieties and times.

On one side of a two-winged silver frame, two young women, Füsun and İlhan are posing for the camera, locked together, cheek-to-cheek. On the other wing is another young woman with big flowers decorating the collar of her dress: their mother Nerime. Right next to the frame bringing the sisters together with their mother at an unknown point in time when all three were about the same age, sits a white plastic rabbit with pink ears, waiting in perfect stillness, as if it's in no hurry whatsoever to reach anywhere at all. On a china plate, two clock-hands meet and separate to the humdrum rhythm of tic-tocs, as if driven by the same wind pushing the blue sailboats and turning the windmills.

> *I beg your pardon Sir, what time do you make it?*
> *I make it 1 o'clock – 2 o'clock – half past 2 o'clock*
> *Quarter past three*
> *4.30*
> *Quarter to three*
> *5 o'clock*

İlhan calls out: "The tea is ready!" I make a move with them towards one of the chairs round the table, and settle down.

ON PAPER

"We were born in this house and spent our childhood here. We never left this house. When Füsun went to study arts in the USA, she could have stayed there; but she wanted to be here, so she came back."

As she might also have felt when she opened the door, I had sensed that the moment I stepped through that door, something was ignited that would last a lifetime, that just as I chose *here*, I was chosen by *here*, that we would never again part from here.

Füsun was able to bring with her some of the works she produced in the US. She keeps a portion of these downstairs in her studio, inside a folder in a cupboard.

When she made these, she was apparently *searching for a new repertoire of meanings in the magic of the unknown.* She says *she made these drawings in order to spread space over a piece of white paper.* Albeit rarely, she does bring them out from time to time to show to her guests, if perchance she feels like it, if it ever happens to take her fancy.

A solitary line makes its way along a piece of paper, encounters another line on another piece of paper; a sudden change of direction, and they meet yet other lines elsewhere; the lines join and sometimes sprawl, proceed together, sometimes separate and move away from each other; sharp, determined, dead straight / hesitant, tremulous, uneven and rippled. One of the lines keeps sprawling until it pours into a pitch black stain, flows thick like tar; *one side is day, one side is night*; the black is pushing the white, the white is pulling the black; and so it goes, is the black within the white, is the white inside the black; now the solid into the void, now the void into the solid; a triangle to a circle, a square to a triangle; dark becomes light, light becomes shadow – and so it goes, twisting and turning, rising and falling, writhing and wrestling...

At times something becomes almost visible, at times nothing can be seen.

THE WHITE CUBE

This morning, the photo albums are out on the table again. İlhan keeps going through them one by one. Finally she finds what she's looking for in the first few pages of the third album. "Look," she says, "it's right here. How I used to love this! I begged you not to throw it away, but you didn't listen." She reads: "one thousand nine hundred seventy two styrofoam hundred times hundred times hundred."

In the photographs, a white cube – one from the right, one from the left, from the front, from the back and one from the top. It's a geometrical puzzle, an open labyrinth, *the centre of inexplicable things.*

The dots have turned into lines, lines gave birth to new lines, shapes bred shapes, one thing led to another, and a whole entity was born. The opening on a surface of the cube repeats itself on the other surfaces. While it narrows on one surface, it lengthens on another; as it shrinks here, it expands there. Unless it's us who keep shrinking and growing before the same opening, then these are doors that keep swelling and diminishing. As the lines meet with other lines and the surfaces intersect with other surfaces, the cube is filled with all kinds of prisms; it divides into other empty volumes, creating rooms that open into each other.

A DREAM - THE CUBE OF SECRETS

I find myself before a gigantic – almost room-sized – spectacular cube. Installed within an even bigger white cube, this cube is – as if in a purification ritual – encircled by blue strips of tulle that draw graceful little bows in the air, effusing fragrant smells of lavender. At the front of this beautiful cube, a rusty sign reads "HERE" in pink letters, and its interior is visible through the wide doorway; it is apparently made of pure mirror, and therefore reflects pure secrets. Can I have a peek inside, I say, and then when I do, I realise: all the while I'd been thinking I was *here*, whereas actually I was *there*. Though I'm looking in from the outside, I'm also looking out from the inside. Since I cannot be both inside and outside, I say I should enter inside. But as soon as I step through its big shiny white opening, a rumpus, a bedlam, a commotion erupts. I am neither here, nor there: if I look over left, I am on one side; I look over right, I'm on another; I turn behind, and I'm before me; I turn to the front, and I'm now behind. So I ask myself: *If I follow these doors, can I pass directly through this cube of secrets and come out of the other side?* As I pass through the doors of the looking glass house one by one, with my image reflecting and replicating on its walls, I arrive before the ninth and final door, and that's when we all wake up.

> *did you say*
> *what's it to me*
> *how do you mean*
> *what's it to you*
> *did you say*
> *what's it to you*
> *how do you mean*
> *what's it to me*

THE TAIL

When I open my eyes, this strange form appears before me. It's called "Untitled (Shapeless Form)". You know how it feels when you're just about to say that something looks like such and such, then you look back and it's transformed into something else in your mind, and then again into something else... It's not a dream though, it's a state between sleeping and waking. While Füsun is busy thinking about a new work, she cannot sleep, she remains suspended between sleep and waking. So it's just like that, *in between two places, in between two things*, now appearing, now disappearing, a *Shapeless Form*.

Füsun wants this object which she conceived for a biennial in Paris in 1972, now breathing life once again, *to be viewed with different eyes by everyone, for it to generate other meanings than she herself intended, for the meaning to develop, expand and reproduce*. At first sight, I associate it with a cane, then with a question mark: a cane that keeps swelling up in order to get up off the ground, or a question mark that deflates with each question regarding its true entity. Or it can also be a boa constrictor that has just swallowed a very long cane – or a giant question mark. Or maybe a *Cheshire Cat...*

> *"Maybe?" said the cat, and it vanished quite slowly, beginning with the end of its moustache, and then its grin,* ending with its tail*, which remained some time after the rest of it had gone.*

> "Well! I've often seen a cat without a tail," thought Alice, "but a tail without a cat! *It's the most curious thing I ever saw in all my life!"*

Whatever it is you take it for, this strange thing needs no definition or deciphering; it just inflates and deflates, appears and disappears, as a Form that resembles mostly itself.

THE MISTY MIRROR

İlhan vanishes for a moment, and returns after a few minutes with a tiny, blackened key. She reaches out to the corner shelf near the window gazing out over the Bosphorus, to a misty mirror decorated along its contours with circular motifs reminiscent of dew drops. She puts the key inside a keyhole on a wooden case hidden behind the mirror and starts turning. "It's a musical looking glass, Russian-made. A keepsake of my mother's childhood, easily a hundred years old. Listen."

It was suddenly as if a magic rain had poured over the crystal glasses, cut glass jugs, patterned vases, colourful carafes, sugar bowls, porcelain cups, delicate tea sets, brass bells, glass angels, beads and trinkets and tinsels, and they all started to ring along and sing along together. The fragile notes of a crystal orchestra poured into the room, at once caressing my soul and flowing in waves like frankincense, out of the windows.

Clearly aware of how with the turn of that key she had re-tuned the rhythm of my soul, İlhan puts the looking glass back where it belongs with a satisfied smile on her face. When Füsun finally decides to break the silence that has quietly nestled down in the space left vacant by the music, she whispers: *"When I listen to music, it's as if I can touch it. I can sense its softness or hardness; I can see its colour. It is as though it were breathing; I can perceive it rising and falling. I can see the space it spreads into; I watch it skip and jump, or pitter patter away."*

Do blue Re indigo Mi pink Fa orange So red La green Ti yellow

Blue green pink blue
Red green red *orange*
Pink *orange* **red**
Pink *orange* **red**

FLOWERING

Just like in music, she is after a temporal progression, a rhythmical experience based on repetition. A silent music that can transform *hearing into seeing*.

She has a few squares, a few rectangles, plenty of dots and lines, and some colours. She starts off with three identical items constructed out of these materials. First she sets the wooden rectangles together to make up three pedestals. Just as I'm wondering what she might install and display on these, she places the circular forms which she cut out in the shape of closed petals on all four surfaces of the pedestals. Then she parts open one top petal on each pedestal; it now seems as if the pedestals are about to flower. The small squares which she has set dangling off the tip of the opening petals bouncily point towards the other pedestals standing in front of them: -There it is, right in front of me, just a little ahead, a little ahead of me... Another pedestal joins this movement – *already repeated three times with intervals and pauses* – and promptly bursts into full bloom with all its flowers.

This "Untitled Variation" in four beats / four pauses driving a rhythmical beginning towards an explosive ending, adopts a different tempo and pace every time I walk past it. Like climbing, running, hippety hopping, skippety skipping, jumpity jumping, slowing and speeding, draggedy dragging, tippity tiptoeing up and down the stairs, one by one, two by two, three by three...

ON THE STAIRS

Füsun's footsteps can be heard from the wooden staircase that connects the balcony overlooking the Bosphorus with the terrace and the studio downstairs. I recall a ladder in an installation which I've only seen pictures of. Two gold-coloured chains running down – or climbing up – parallel to each other on a white wall. Made of blue cord loosely drawn between these chains, its steps slice up the white wall onto which it is installed. Should I climb up, or down this ladder? As far as the ladder itself is concerned, it both ascends and descends. If you are down here, it ends up there; if you are up there, it ends down here. It seems this ladder ends where it begins. Or does it begin where it ends?

"It's just a ladder," says Füsun, and laughs. In truth, she has put the ladder there to aid an angel in its descent...

She likes to play with ladders that open out like a fan, spiral up, or skip down. Once, she made a set of stairs with a mirror at its base. Placed down on the floor, the mirror acts like the sculpture's own shadow; it reflects the sculpture's stepped structure that unfolds with twists and curves, going up on the one hand, and down on the other: now in through the mirror, now out of the mirror.

AT THE ORIENT

"It's something very like learning geography," thought Alice, as she stood on tiptoe in hopes of being able to see a little further. "Principal rivers – there are none. Principal mountains – I'm on the only one, but I don't think it's got any name. Principal towns..."

...none. Now let's assume for a moment that we said "Let's Meet at the Orient", wouldn't we then always have to keep going towards the East? Yet it seems there are no rivers, no hills, not even an inch of road left to go. The world has shaken off its continents, countries, borders, neighbouring nations, regions, climates, vegetations, scenic beauties, natural resources, surface areas, altitudes, populations, religions, languages, races, regimes, monetary units, income per capitas, and etceteras, to become a smooth, ocean-blue globe. As this perfect globe – released from its unbearable load – awaits suspended inside a blue net decorated with silver beads, it also reminds me of a bloated, impatient balloon about to set off on its journey.

The globe looks so naked and empty in its current state, I cannot help but ask my-self: "Is the journey eastward or westward? How far north, or how far south are we headed? Is the wind going to blow from the right, or the left? And what do these questions matter if we are to always land in the same place anyway, upon the same eternal expanse of blue?"

> dear passengers
> we are starting our descent
> a little further down now please
> a little lower
> just a little more

-One place in the world that I want to see the most? There's no such place.
It should be a place unseen, unheard of, a place that I will discover first.
And there's no place I want to go and see.

She was about to rise and commence her long journey on which, without having to move even an inch, she would traverse around the whole wide world. She laid the silk cloth over her knees and picked up her silver scissors. While she briefly de-liberated on the point of departure, the scissors hovered undecidedly, moving up and down, left and right; then, swooping down arbitrarily, they went to work on the cloth, starting from one of the edges.

As the scissors effortlessly glide upon the silk, following imperceptible shapes and faint traces drawn by a pencil quite apparently unsharpened for some time, what first becomes visible are the indented coasts of South America that stretch to-wards the south like an eagle's beak. The scissors then set off from the south-ern part of the western shores of the continent that trace the Pacific Ocean to perform an elegant circular charge that climbs up north and advances westward along the freezing coast of the Arctic Ocean where having found the opportunity for a brief respite upon reaching the remote and desolate northern shores of Rus-sia and Northern European countries via lost and lonely Greenland they negotiate with a mixture of decisive advances and rounded manoeuvres the eastern coast-line of the Far East and the tropical islands lying further east to cross with a single leap the colourful reefs and steep falls of Australia and while making their northern progress across the Indian Ocean pass by the southern part of Southeast Asia and Asia to head towards the eastern part of the ocean where they cut open a deep wedge towards the heart of the Middle East and from the eastern shores of an-cient Africa that dangles like a giant tongue drooping southward finally rear up into a gallop heading north once more and as they gradually slow down, suddenly...

...she stopped. By the end of this long and adventurous journey which she had com-pleted without once lifting her silver scissors off the silk cloth, she had lost all track of time. All the five continents were in her hands now. As she softly lifted herself off her chair, she caught with her fingertips America by one ear, and Asia by the other ear, and draped them casually over the wooden ring of the tenter swinging above a copper basin.

Suddenly below, a little further below, in the depths of a copper basin filled to the brim with clear water, handwritten letters shone in golden hues:

Somalı, Bosna Hersek, Bulgarıa, Holland, Angola, Kuwaıt, Ukraıne, Greece, Azerbaıjan, Thaıland, Armenıa, Tadzhıkıstan, Srılanka, Uzbekıstan, Uygur, Hungary, Peru, Vıetnam, Denmark, Honduras, Nıqaragu, Bolıvıa, Egypt, England, Lıthuıanıa, Canada, Hırvatıstan, Cyprus, Germany, Iceland, Phılıpınes, Tanzanıa, Ireland, Moldavıa, Brazıl, Zambıa, Kenıa, Russıa, Sweden, USA, Letonıa, Ethopıa, Macedonıa, Switzerland, Venezuela, Estonıa, Pakıstan, Spaın, New_Zealand, Slovenıa, Italy, Turkmenıstan, Algerıa, Mexıco, Bahama, Newguınca, Iraq, Norway, Malezıa, Cuba, Taıwan, Austrıa, Japan, Belgıum, Nıgerıa, Korea, Ecvator, Chılı, Fınland, China, Kongo, Indonesıa, Lıbya, Israel, France, Paraguaı, Gurcıstan, Portugal, Morocco, Zaıre, Iran, Indıa, Poland, Kazakhstan, Romaın, Australıa, Poland.

Water, spiritual rebirth, to purify, baptism, any experience which initiates or sanctifies. An ode, or a requiem *for a paradoxical world.*

NIGHT

For a while now, every time I raise my head to look, I catch her mulling over a notebook. Especially at nights.

First, she dressed the notebook in a golden gilded jacket she meticulously tailored; and fastened a sleek looking brooch she made out of glitter just under its collar. I have to admit that this intervention made an enormous impact on the way it looked. It had hardly caught my attention all this time it had laid stretched out on the table; but now, even I can't help turning again and again to gaze at this graceful, fetching, flamboyant notebook.

As the night falls and silence descends, she assumes her position before the notebook, gazes at the empty pages she turns, as if wanting to hear a sound, then waits for a while with eyes closed, and opens a new page. It's not like she's writing anything, either. Like an author waiting for inspiration, in desperate need of the magic of words in order to be able to transfer her thoughts onto the paper, she keeps murmuring to herself.

Some nights ago, I was pretending to pay her no attention whilst keeping a constant eye on her every move, and I noticed that this quiet engagement of hers with the notebook had quickly changed in style. She had put the plastic boxes full of her little shiny knickknacks next to it, and was spreading all this stuff over the pages, collecting them again, sometimes taking out one thing, replacing it with another, and starting all over again when she was not satisfied. Even though I was bursting at the seams with curiosity, because I didn't want to interrupt her concentration with my nosiness, with difficulty I managed to keep my distance and left her alone with the notebook, waiting for her to finish what she was doing.

When I awoke with the first light of the morning, she had long since retired to her bedroom. As soon as I had shaken off my morning grogginess, remembering why I had dozed perched on this armchair until the morning had broken, I proceeded to unlock the secret of the tired but happy notebook of the night before, which lay on the table where Füsun had kept her vigil for many long hours: *Nocturne...* Night music; for the night, inspired by the night, to be played by night...

-

The first page of the notebook opens with a single syllable, a simple motif etched on it.

The continuation of the embroidered motif on the facing page almost initiates a verse, a line, but leaves it half-finished.

The verse is started again with the turning of the page and extends a little with the multiplication of the same motif, but again it comes to an abrupt halt and quietens down.

----

o ₒ o

This linear and phonetical progression is repeated for the third time overleaf, to be replaced first with a brief pause continued for the length of a line break, then a linear motif vocalised by transparent beads and glittering sequins.

o ₒ o o o ₒ o O

(.*+[*%+'
^)* * +*
- + *ₐ^

This new shiny motif that appears again on the next page is followed by the long silence of an even longer line break and a third, amorphous element woven with glitter. And that means all the instruments have now assumed their positions on the stage.

When all these elements brought together in the notebook all engage in their independent actions, going through repetitions, changes, and recurrences with their congruent or contrary counterparts, the resulting harmony determines the structure of the work.

The embroidery and the beads are soon accompanied by string instruments and bells. Then a very fine tulle curtain reminiscent of *an angel's diaphanous wings* parts its skirts slightly and blows through the gilded frame.

TRACE

Füsun is fond of the transparency, fineness, crispness, curviness and waviness of light woven fabrics like tulle. I have become so used to seeing pieces of tulle, satin cloth samples and silky fabrics in every nook and cranny of the room that as soon as a drawer is opened a crack for some reason or other, a tabletop left untouched for a few days is put in order, or the commodes and chiffonières are opened, I know what to expect; myriad fabrics of colour upon colour, in all shapes and sizes, burning and shining, stitched and embroidered, with paints and patterns and eyelets and appliqués emerge from their hiding places; as clippings piled upon clippings, in strips and pieces and shreds and tatters, wrinkled and rolled; and with a shake here and a toss there, a fold, a crease, a stretch and a pat, they are moved from one place to another. *She apparently thinks that her fascination with fabrics is rooted in her childhood; due to an organza dress she wore at the age of five, and the lacy handkerchiefs and embroidered items she was furnished with on religious holidays.*

But please don't imagine that she would be using these fabrics to make clothes for herself. Instead, these fabrics are assigned in unimaginable ways with a touch of her hands. For instance, there might be times when she takes the white tulles from the bottom drawer of the commode in her studio to a venue to install her new exhibition. I hear that she dresses the chairs she finds there with these tulles, then makes lovers' knots with crimson glass beads on them. Once she took an old sequined, embroidered scarf, wrapped it around the shoulders of a canvas which she had painted completely in pink, tied an elegant knot in it, and let it hang loosely there at the front. That canvas has been hanging on the wall of the studio for as long as I can remember. But one of these things which I've only seen in the photo album – one that I feel utmost regret for not having seen live – remains in the private collection of an old friend in France, where Füsun sent it shortly after it was exhibited in Germany. I've always hoped that one day that legendary magic box will make its way here, and I will be able to see it. The red satin fabric lining the base of an empty wooden box, which I imagine – due to its quality apparent even in the photographs – was made to hide precious things, has been *twisted, crumpled and fashioned to form the word "Istanbul" in embossed letters. It's as if the jewel inside the box was taken, leaving behind just a trace of it.*

IN THE CABIN OF DREAMS

I don't think there would be anyone who doesn't like or remember fondly that childhood escapade that involved pulling a floral patterned bedsheet off the laundry line, or a quilted tablecloth off the table, then spreading it over a table or two facing chairs, to create safe havens, shelters – palaces, if you like – to hide in. Homemade fortresses, ramshackle chateaus, ivory towers concealing the most intimate secrets, the most unheard-of dreams, the strangest fantasies. Big enough, tall enough, large enough to accommodate anyone...

...anyone at all. So it goes that, Füsun and I are standing before a blue room that reminds me of a cabin of dreams where no one will notice your presence as long as you stay inside. She actually made it years ago, but somehow we have only managed to get to it now. The room also reminds me of that favourite painting – or wall object – of mine; an empty frame woven horizontally and vertically with blue coloured strings which she made around the same time and which has always lived in the studio aside from going out to a few exhibitions. It's as though a painting has acquired a third dimension; as if a miracle has occurred and the painting has taken a flight off the wall, grown and expanded under the ceiling, let loose all its strings and cords and hairs, and covered the entire room facedown. Really though, *why should a painting stay on the wall, locked inside a frame?* The surfaces have transformed into volumes, moments have stretched in time and spread, poses have broken into a walk, and centimetres have begun to run.

"Come inside" she calls out, and parts with her hand the blue-stringed curtain of secrets hanging from the ceiling. I am aware that I am about to enter into a different dimension. Right in the middle is a comfortable mattress waiting for me to lie on. *-Please lie down now.* In the mysterious hollows of old furniture, underneath tables and chairs, like a child, with eyes half-closed, half-open, between sleep and waking... Over your head is a sky-dome woven out of string and tinsel. Look: *Incandescent sky / Like a wedding house / A fest of stars.*

ISTANBUL

Above all else, a scenery definitely worth seeing, still breathtaking.

Recently, I've been looking out the windows and observing how the other shore of the Bosphorus seems spiky as the back of a hedgehog, the ways it's riddled with tall residential blocks, skyscrapers, and commercial towers. The more we look outside, the bigger the annoyance, at times evoking an outcry in the house. "Oh look, yet another one," says İlhan with exasperation in her voice. "But this is too much," Füsun mutters angrily. As the cranes keep turning their heads this way and that, the city's silhouette continues to change rapidly, becoming ever more surly and irritable.

"Istanbul Obsession"... What an obsession indeed!

Reclining in my resting place by the window, I think of yet another old work she made long before we met. When I enter this tiny room which she made by arranging fabric panels in a hexagonal format so that it resembled a honeycomb, I feel like I am embraced tightly inside a haute-couture outfit. These fabric walls on which she hung garments of transparent organza decorated with bright stones and glitter feel as if they might ruffle and wave, and take to the wing at the gentlest breath of air.

Füsun has bent the hangers – from which she has suspended the clothes – so that they conform to a dome-like shape; and on the transparent clothes she has added embroidery that evokes traditional motifs. The first time I imagined the room from the outside, I was completely swept away by the shadow-shapes playing out on its cloth curtains, and the silhouettes of touching beauty they produced, which reminded me of Istanbul. As I open the photo album lying on the coffee table, looking through photos of old Istanbul, I once again find myself daydreaming.

Whoever enters this room shall become part of the silhouette.

THE WARDROBE

It took me quite some time to learn how to find my way through the corridors of the studio below. Thankfully, I don't get lost in its secret passageways, humid vestibules, caverns, galleries and time tunnels anymore. I can now find whatever I am looking for as if I've put it there myself, I've come to know the place like the back of my hand. Yet, it's still a place where I keep finding myself being dragged on another adventure, a place that activates all my senses, a place full of surprises. Right there at the entrance, the chocolate door on the right displaying a giant menu made of cut-and-paste labels, opens out to the kitchen:

Lindt Cognac   **Nussknacker**

Trumpf Schogetten

Lindt Lindor   **Ritter Sport**   **Walkers**

Siegel Marke

Grisbi   **Rahm Mandel Alpia**

**Kinder
Schokolade**   **Weisse Crisp**   **Choco Friends**

Thin Mints   **Sole**   **White Dreams**
                   Mio   **Frey Duett**

Choceur

Lindt Excellence

Rahm Mandel

Lindt Pistache

J.J. Blanc   **Griesson**

Original Schweizer

...

The large space stretching along the long corridor is full to the brim with crates, cardboard boxes, plexi boards, bubble wrapped packages of various shapes and sizes, folded craft paper, rolls of cellophane. It's a labyrinth of delights. At the end of the corridor, a flowery door on which Füsun – as a child – painted a red bouquet adorning a blue background. The door leads into a large room. There, you face another wooden door fitted with blinds. Sunlight penetrates the room through two slats that have been left open a crack. I can't see the view now with the door closed, but I know that it opens out to a terrace overlooking the Bosphorus. On the right side of the double-winged door are the painted figures of a girl and a boy passing through a flowery archway, looking as if they are destined to play out this magical moment of passage until the end of time. The cherries and grapes on the other wing look like they will never ever lose their freshness. The upper part of the door is inlaid with glass panels and covered with old invitation cards, newspaper cuttings, photographs and postcards, all crammed together for lack of space. This door leads you through to another larger room which is loosely divided into two by a panel of stained glass. Behind the coloured glass of the panel is a wardrobe looking as if it is trying to hide, with its back firmly against the wall. It's an ordinary wardrobe with no special attributes whatsoever. But when you slightly open its doors...

...it's as though not a soul is missing in this jubilant crowd, for holidays have come, it's fun time kids, the festival is on! Pale light blues, pinks brazen and demure, reddish oranges, lilacs, cremes; buttons of amber and mother-of-pearl; patent leather shoes with pompoms; laceworks, lovers' knots, skirts pleated and frilly... On the lower shelf, branches of coy carnations, tulips and hyacinths which Füsun herself has coloured; yellow rays of sunshine bathed in blue rains... A sunset on the lid of a satin covered sugar box; horizons under shadows; a lake as still as a mirror, with a lonely house on its banks. Angel-faced dolls inside a tin box on which birds are flapping their winds; next to it, a Baby brand clothes brush.

Telephone Beyoğlu 3632

PAZAR DE BEBE

D. CİMOS and V. KAÇUDI

BEYOĞLU İSTİKLAL STREET, No. 425-427

Clothes and other necessities for children

Necessities of a past long gone – the childhood garments, toys and accessories of Füsun, İlhan and their brother Senih – are kept in the wardrobe at the studio. They've been there for many years untouched, unmoved, preserving the order in which they were first placed there, with the dust, the mist and the fog of who knows how many years; yet still lively, innocent, gay. It feels as if there's a secret door inside the wardrobe; if you discover it and manage to walk through, the clothes will be a perfect fit for you – fresh, clean, and brand new. As I close the door of this wardrobe which has been preserving – like a jewellery box – the remains of a long-gone childhood and a frivolous adolescence, I encounter the gaze of Mona Lisa looking at me over a dress neatly folded away on the upper shelf. There's a hand-painted newspaper-dress next to it. Or is it perhaps a dress-newspaper? It has been folded from the sections *Community News*, *Poem of the Day*, and *Celebrities in Focus*; and here is what I can read:

> *Leyla Gençe*
> *our precious soprano Leyla*
> *performing at the Metropolitan Oper*
> *a major venue in Rom*
> *after the performance, our sopr*
> *reception.*

THE BURGUNDY DRESS

Put it on,   take it off,   put it on,   take it off...

Already fed up with trying on clothes, to put an end to the bother once and for all, she settled on the plainest looking of them all, a French made dress in burgundy. Those who'll come to her exhibition's opening would most probably completely miss the point again, and as usual underestimate her because of her long hair. This buttoned dress, almost as plain as a pinafore, would at least create a more serene and solemn aura about her, and perhaps inspire a degree of seriousness in the visitors. At the end of the day, the dress didn't prove useful in that sense, but she did end up wearing it quite often at other openings and receptions since she felt very comfortable in it.

Many years after that, and many years before this, attending an exhibition in Paris, she took the dress along with her, this time not to wear, but to exhibit. She had stuffed the dress with cotton interlining, tightly sewed up its collar, sleeves and skirts, put it inside a tulle casing and hung it on the wall. She had backstiched two dates on the two sides of the skirt, marking the beginning and the ending of their long-term companionship, the friendship they had maintained, and the times they had witnessed together on the journey of her artistic career up to that date. Before taking the dress to its motherland – where it had been manufactured – with its new numerical name that is readily accessible to anyone in their native language ("1972–1996"), she sprinkled at the hem of its skirt roses of pink fabric, and cut two triangular openings in it. And a waistband with glitter and stones, to top it all.

THE BRIDGE

I lie on my back where the moss-covered steps of the terrace reaching deep down into the waters begin – or end – and close my eyes. Tirelessly beating on my eyelids in order to find a way inside, this morning sun is so bright that phantom colours begin to fly before my tightly shut eyes.

As a perfectly round yellow shape slowly slides over to the right, it suddenly turns crimson and escapes out of sight. Pale blue tones that initially resembled a soft and compliant cluster of clouds transform into a dark blue storm; tumbling down and spiralling up, they disappear from view. Then, a crimson light blots out everything. As the redness begins to slowly fade, it is stained with a touch of blue, and splits into various tones of lilac, turquoise, orange, lime green and purple. Then, circular and fluorescent-white explosions travelling at the speed of light from the depths of the galaxy swallow all the other colours, leaving behind only a pure white screen. On this screen where all shades of blues and greens begin to bubble and froth and surface, three fluorescent pink shapes make a sudden appearance and align themselves with a fourth pink shape that is bigger than others.

Stretched out on the stone paving warmed by the morning sun, I roll onto my right side, and gaze at the undulating waters of the Bosphorus, its ripples periodically meeting and parting. A small, pink inflatable boat and three inflatable cushions of the same colour are just marking time where they are. It is as if Füsun has conjured up some ideas again, and all the colours, forms and motions have submitted to her thoughts, and assumed a new order.

This little group of four floating in a row is surprisingly stationary, despite the strong currents and winds constantly changing direction. Keeping all the while their rhythmical order undisturbed, they skip and jump, splashing and spilling their phosphorescent colours into the waters, to keep up with the ever-changing, turbulent rhythm of the Bosphorus.

And stuck in its depths are *soda bottles*, odd shoes and boots, *rusty tin cans, eyeglasses and umbrellas, earrings, gold bracelets, coffee grinders, muss-covered cuckoo clocks, black mussel-encrusted pianos, a pearly white television screen, the shattered bulbs of an overturned brass chandelier*, fish nets hooked on rock faces, wish bags thrown in the water on the morning of the spring fest, regrets, joys, disappointments... and goodness-knows-what-else; while above the surface, a four-note motif accompanies the rhythm of the Bosphorus, as it bobs up and down, bubbles and babbles, slows and stills – a four-step bridge with no ambition to reach anywhere, beginning and ending in the water. *There will be a note on the ground: "I loved the sea and the fishermen the most. Farewell".*

For instance, a fishing boat passes by:

Patapata patapata patapata patapata patapata patapata patapata

Then, an InnerCity Maritime Lines boat blowing its horn on its round of Eminönü–Anadolu Kavağı:

Wu wu wu roro rororor
Wu wu wu roro rororor
Wu wu wu roro rororo
Wu wu wu

Then, a tour boat entertaining local tourists with music and dance:

> *Gidiyom gidemiyom gülümamanaman...*
> *C´est la danse des canards*
> *Qui en sortant de la mare*
> *...Hop cimdallı cimdallı kızlar giyer bindallı*

Followed immediately by a guided tour boat for foreign tourists:

> *Evet Kuzguncuk camisi ve Kuzguncuk kilisesi,*
> *You'll now see the mosque.*
> *Et si vous regardez un peu plus haut, vous allez voir l'église de*
> *Kuzguncuk située dans le jardin.*
> 教会は財団法人の所属地内にある。

As if nudged by something or caressed by a cool breeze, I quickly straightened myself up from where I'd been lying. Was that a man in a diving suit that just drifted past, or is it just me?

Füsun takes one final look through the viewfinder of the camera and calls out:

> *GUYS, THAT'S A WRAP!*

champagne, strawberries, chocolate, liquors

As the sun is getting ready to withdraw from the Bosphorus, my eyes are looking for the pink boat in vain.

balloons, fireworks, confetti, comets, summer rains...

Shallallalla lala !!!

WHISPER

A wooden form resembling a small, cross-legged, portable table or a low stool takes seven steps, right there before my eyes.

With each step, it shrinks from top to bottom, receding like a whisper.

WATER BY THE PAVEMENT

A very nice dream:
on the asphalt
there is water, but my feet
don't get wet.

To be able to catch the reflection of the cat leaning towards the water to satisfy its thirst, or

the little girl whose skirts billow in the air while playing with a ball, she pastes patterned packaging paper, pieces of plastic bags and picture cut-outs under a piece of plexiglas plaque and leaves it just like that, by the pavement.

All that happens over and above a puddle,
I can see how it would look to the water
I can see
-what the water sees.

SHADOWS, LIGHTS

The rays of sunshine seeping through the windows wandered all day long inside the house, bumping into mirrors, knocking against porcelains and crystals. As they wandered on walls, carpets and boardings, fading this nook and brightening that corner, down went the sun and in walked the evening.

Soon the light of chandeliers and lampshades will begin to fall on windows, balcony doors and the patterns of curtains clothing them. Wooden window frames lined up like guards along the façade of the house, entrenching themselves between the inside and the outside, reflecting *pitch darkness on one face, pure light on the other*, will begin their own shadow games.

This matter of doors, windows and frames had been long busying her mind, filling her with the burning desire to liberate them from the walls – as if they were hanging pictures – and lend them a new dimension. She took the broken and crooked frames – which she had mended to make sure they could stand upright, and collected in the studio – from the corner where they'd been left laying on top of each other, and scattered them around the room. On them she pasted squiggly strips she cut out of *Karagöz* leather, and other irregular, strange forms; then added barely visible suggestions, indistinct decorations, faint colours, and finally the traces of time: -one full, one empty; three open, five shut; some shadow, some light; some dim, some bright...

She is so carried away with what she's doing, I can't help myself, I just want that she should turn her head, so that we could chat a little, and I could remind her of my presence... I start with these doors and windows that open neither inward nor outward, and begin

knocking and banging
  shutting and opening
pulling and pushing
  hitting and kicking
coming and going
  entering and exiting
passing and stopping
  time after time
in and out of time
  time and
time again
  , I am flowing into my own shadows.

CELLOPHANE DREAM

The lights went off on the first floor; they were switched off at the mains. The lamp-shade sitting on the shelf in the hall was unplugged; all the wall lights were turned off. In the bedroom, the bedside lamps were turned on; the lights of the bathroom and the kitchen were checked once again.

Returning to the lounge lit by the pale light emanating from the tall single-bulb floor lamp, Füsun spins the miniature bergère perched on top of the music box a few times. It is as if someone was once seated on the patterned cushion of that chair – which, as soon as she let go, had started to slowly spin backwards with the music – and the only memory I have of this person is her fidgety feet on the floor and her legs dangling down the side of the chair.

"I guess it's about where I am looking at it from," I think to myself. "If there is a leg, it should somehow be extending upwards."

When I raise my head, a pair of staring eyes stuck on the back of the armchair are pointing at a pair of plastic legs standing tall on an old coffee table, as if to say: "Maybe, or maybe not". One of the wooden carved legs of the table leaps up as if in attempt to confirm this statement, and gets hung on the corner of a picture leaning against the wall. Furniture becomes locked in an ongoing exchange of pushing and pulling, giving and taking, some from here, and some from there...

...at times something becomes almost visible, at times nothing can be seen.

As my eyelids grow heavier, the baby blue satin blanket – dented by my weight, which I languidly release into its coolness – flows in small quilted waves towards the four corners of the bed, and in soft, quiet curves towards the lower depths. Soon, a hand will gracefully reach to grab a hold of the water's edge and lift it; then a cellophane-blue wave will wash over and swallow me. I am now in the midst of my sea of dreams.

The great silence before the music begins, or after the music ends,

The words set in italics in the text are borrowed from the sources the author read, heard of and got inspired from. Among these are Füsun Onur's handwritten notes, words or sketches; Lewis Carroll's books *Alice in Wonderland* and *Through the Looking Glass*; Lale Müldür's poems (*Hours / Deers*); Celal Sılay's poems (*Hüsran Filizleri*); Sevim Burak's literary works (*Yanık Saraylar*); İsmail Uyaroğlu's poems (*5/7/5'ler*); Orhan Pamuk's novels (*The Black Book, The Museum of Innocence*); Margrit Brehm's text in the Füsun Onur monograph (*For Careful Eyes*); texts in the Füsun Onur book published in the scope of dOCUMENTA (13) (Defne Ayas's essay; Carolyn Christov-Bakargiev's text and the interview she and Hans Ulrich Obrist conducted with the artist); childhood stories told by friends, some made-up words they use, text messages they sent; the sounds of the Bosphorus; conversations held in the Hayri Onur waterfront house; words, letters spread out in the house.

...ilk kili, yağlıboyayı elime alıp sanatçı olmayı düşlediğim çocukluk yıllarıma dönüyorum. ... Yapılmışı, coşku verici bir şeyi yeniden başka şekillerle yapmak, gördüğünü değiştirmek, yeni deneyimlerle ona bir şeyler katmak, eğretileme aramak ve sevdiği bir şeyi saklamak. Sonra ilk akademi yılları. Daha bilincine varmadan sezilen volümlerin karşılıklı ilişkileri, oyunları ve zaman. Daha sonraki yıllarda uzamı elle tutulur hale getirme uğraşları, iç ve dış uzam, yine zaman, gittikçe karmaşıklaşan ama tükenmeden aynı coşku.

...I go back to my childhood years when I first played with clay and oil paints, and dreamed of becoming an artist... Taking something that has been done before, something that excites you, and remaking it in new forms, enriching it through new experiences, looking for metaphors and holding on to something one loves. Then, the first years at the academy. Unconsciously perceiving the interrelationship, the play between volumes; and time. In the years that follow, the attempts to make space tangible, inner and outer space, and then again time, the same joy that gradually gets more complex, but never ceases to flow.

Füsun Onur, "Resimde Üçüncü Boyut – İçeri Gel" [Third Dimension in Painting – Come In], *Sanat Çevresi*, 1981

Resimde Üçüncü Boyut / İçeri Gel
Third Dimension in Painting / Come In
1981
Yerleştirme: tahta, boyalı ip, sünger, kumaş ve payet | Installation
with wood, painted thread, rubber, fabric and spangle
200 × 183 × 140 cm
Yerleştirme görüntüsü | Installation view:
İstanbul Güzel Sanatlar Akademisi | Academy of Fine Arts, Istanbul

Bu yapıt, "Aynadan İçeri" sergisi için 275 × 300 × 210 cm
boyutlarında yeniden üretilmiştir.

This work has been reproduced in 275 × 300 × 210 cm for
the exhibition "Through the Looking Glass".

*...sözcüklerin sonsuz yeni
anlamlarıyla düşünce
çeşitlemeleri.*

*...variations in
thought with the
infinite new meanings
of words.*

Füsun Onur, bir söyleşi için Nilgün Özayten'in yönelttiği soruya cevaben |
answering Nilgün Özayten's question for an interview

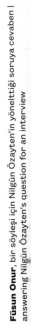

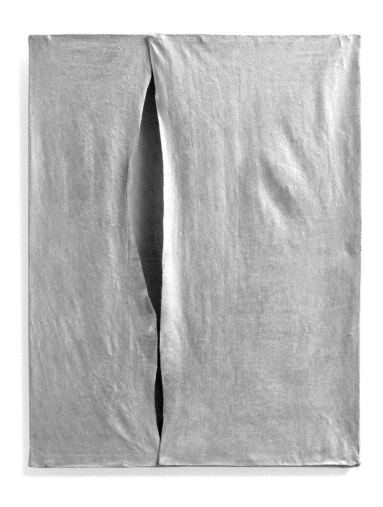

sayfa | pages 80-83

Estetik Uygulamalar
Aesthetic Applications
1988
Tuval üzerine karışık teknik |
Mixed media on canvas
Yerleştirme görüntüsü |
Installation view:
ARTER, 2014

Estetik Uygulamalar
Aesthetic Applications
1988
50 × 39,5 cm

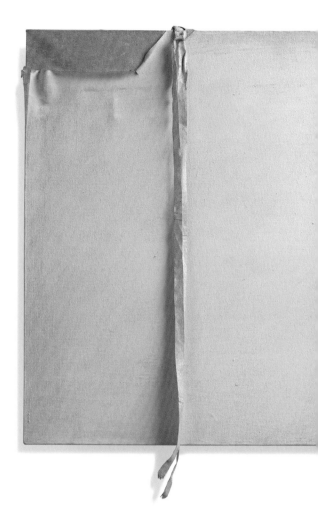

Estetik Uygulamalar
Aesthetic Applications
1988
soldan sağa | from left to right:
48 × 30 cm
49,5 × 59,5 cm
39,5 × 50 cm

Herhangi Bir İskemle
Any Chair
1991
Yerleştirme görüntüsü |
Installation view:
AKM sergi salonu, İstanbul |
AKM exhibition hall, Istanbul

Herhangi Bir İskemle
Any Chair
1991
İskemle, tül | Chair, tulle
Courtesy of Galerie nächst
St. Stephan Rosemarie
Schwarzwälder, Viyana |
Vienna izniyle

İsimsiz
Untitled
1983
*Tuval üzerine yağlıboya,
ahşap, kumaş, bakır şerit |
Oil, wood, fabric and
copper band on canvas*
93 × 90 × 3 cm
Nürnberg Neues Museum'da
Block Koleksiyonu |
Block Collection on loan to the
Neues Museum in Nürnberg

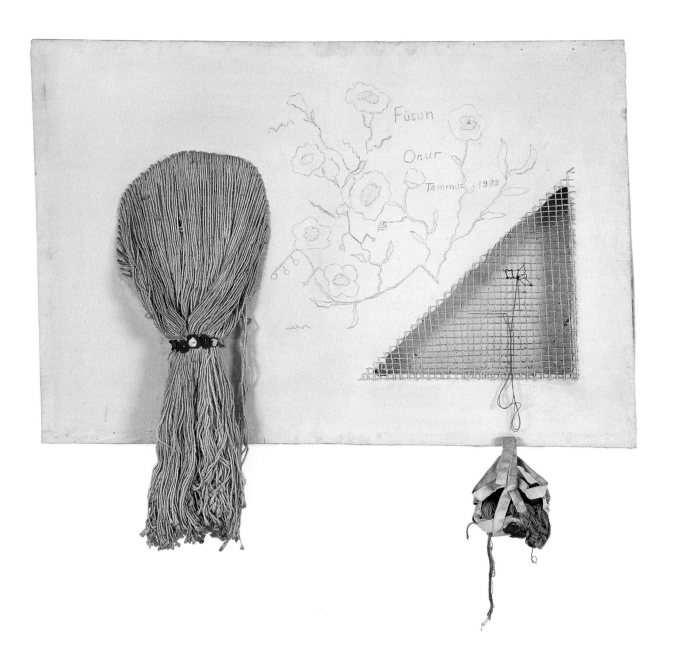

Temmuz
July
1983
Tuval üzerine yağlıboya,
kurşunkalem, kumaş ve ipler |
Oil, pencil, fabric and
threads on canvas
87 × 90 × 8 cm
Nürnberg Neues Museum'da
Block Koleksiyonu |
Block Collection on loan to the
Neues Museum in Nürnberg

Fısıltı | Whisper
2010
Yerleştirme, ahşap tabureler |
Installation with wooden stools
Yerleştirme görüntüsü |
Installation view: ARTER, 2014

Bir Sergiden
From an Exhibition
1989
*Tuval, tahta, tülbent, yaldız,
boya, ip | Canvas, wood, gauze,
gilding, paint, thread*
66 × 59 cm

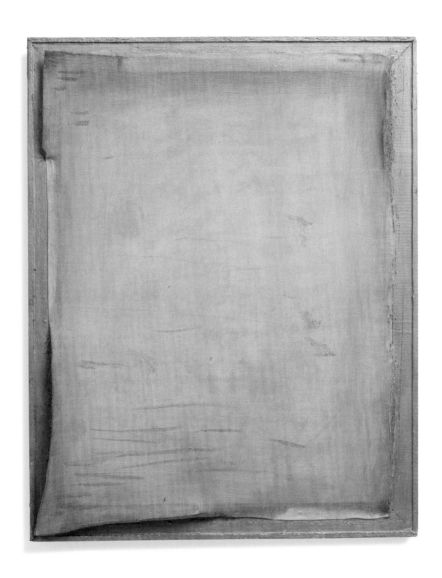

Bir Sergiden
From an Exhibition
1989
Tuval, tahta, tülbent, yaldız,
boya, ip | Canvas, wood, gauze,
gilding, paint, thread
50 × 40 cm

Müzik birden
karşıma çıksa, mesela
bir sokak köşesini
dönüyorum bir trio.
Birden beni içine alsın.

If music were to
suddenly appear, say,
I turn round the corner,
and before me there is
a trio. I wish it would
take me in all of a sudden.

Füsun Onur, defterlerindeki notlardan | from the handwritten notes in her sketchbooks

Nocturne
2001
*Defter üzerine
boncuklu yerleştirme |
Installation with ornamental
beads on notebook*

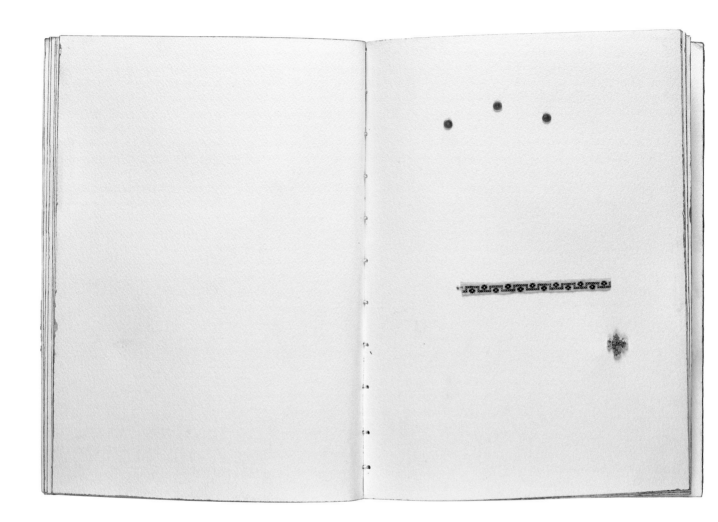

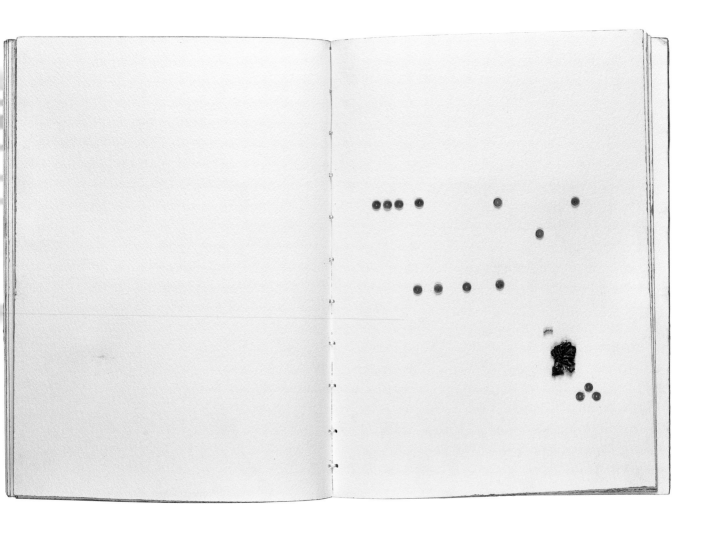

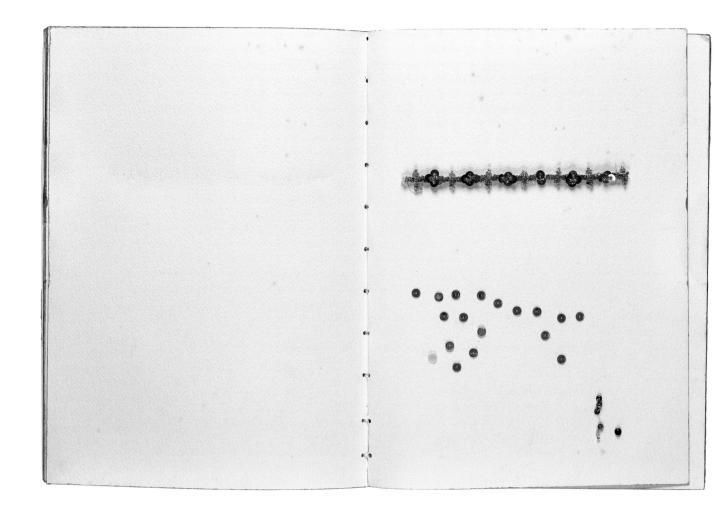

'Nocturne'
16 . 8 . 2001
Füsun ONUR

Kalıt
Heritage
1993
Ahşap kutu, saten | Wooden
box, satin
50 × 40 cm
Collection Işıl-Sarkis
Koleksiyonu

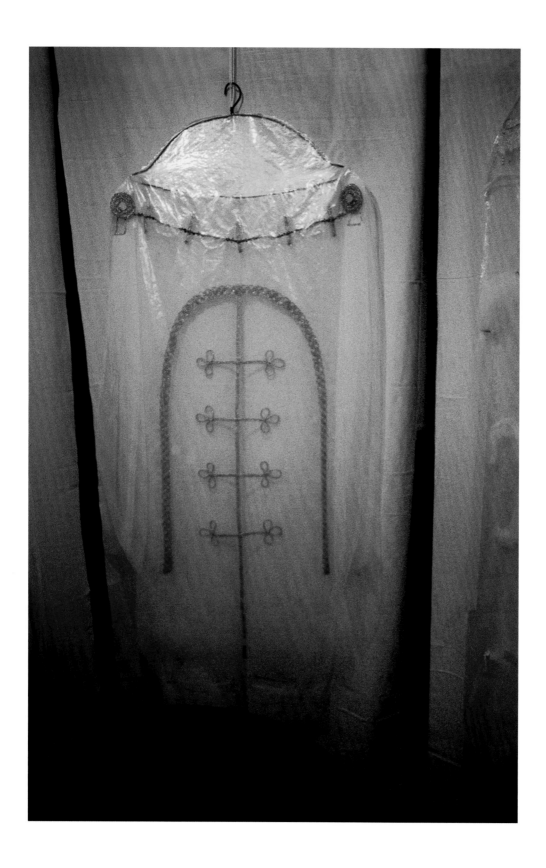

İstanbul Takıntısı
Istanbul Obsession
1994
*Yerleştirme: Kumaş, tül, ip,
boncuk, metal* |
*Installation: Fabric, tulle,
thread, beads, metal*
FNAC no. 970588 (1à6)
Collection Centre national des
arts plastiques (CNAP)
Koleksiyonu, Fransa | France
Yerleştirme görüntüsü |
Installation view: "İskele",
ifa Gallery Stuttgart, 1994

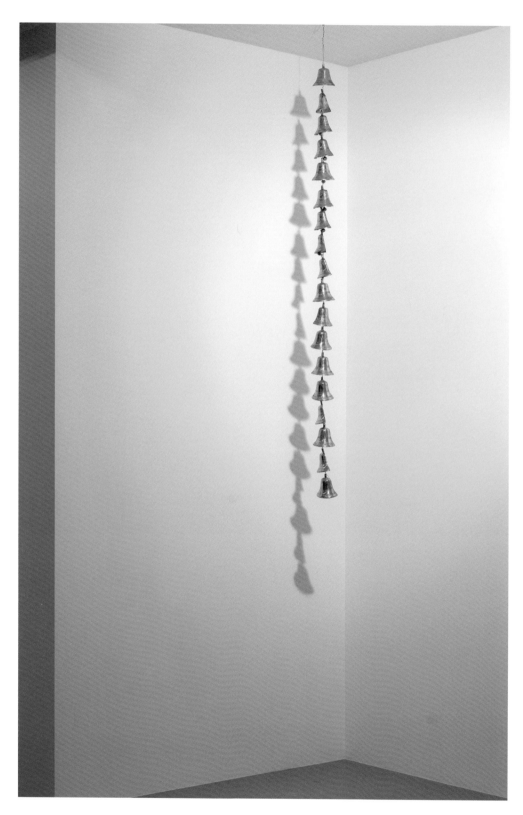

"Erratum Musicale"
yerleştirmesinden Çanlar |
Bells from the installation
"Erratum Musicale"
2007
Yerleştirme görüntüsü |
Installation view:
ARTER, 2014

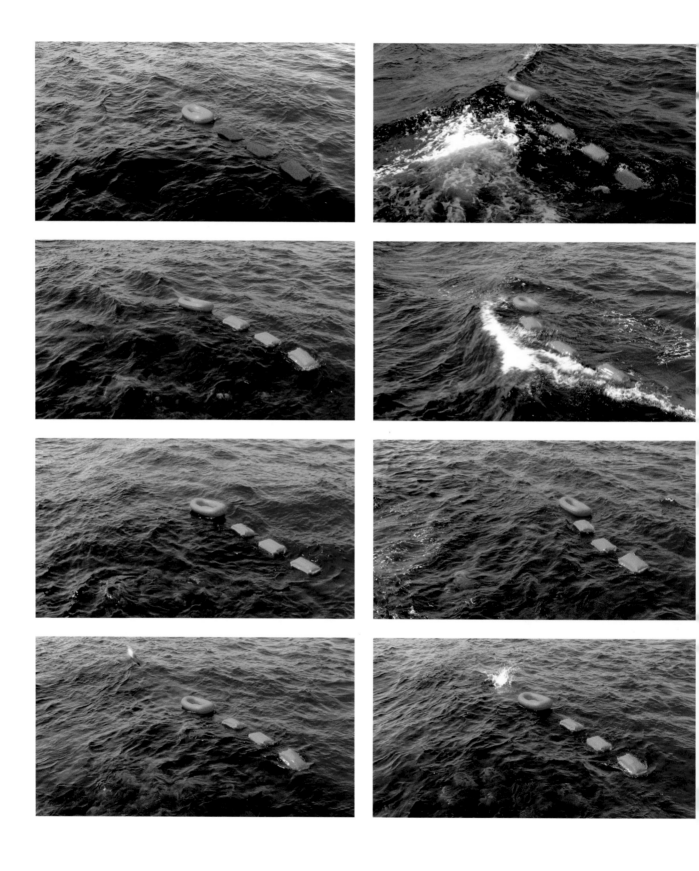

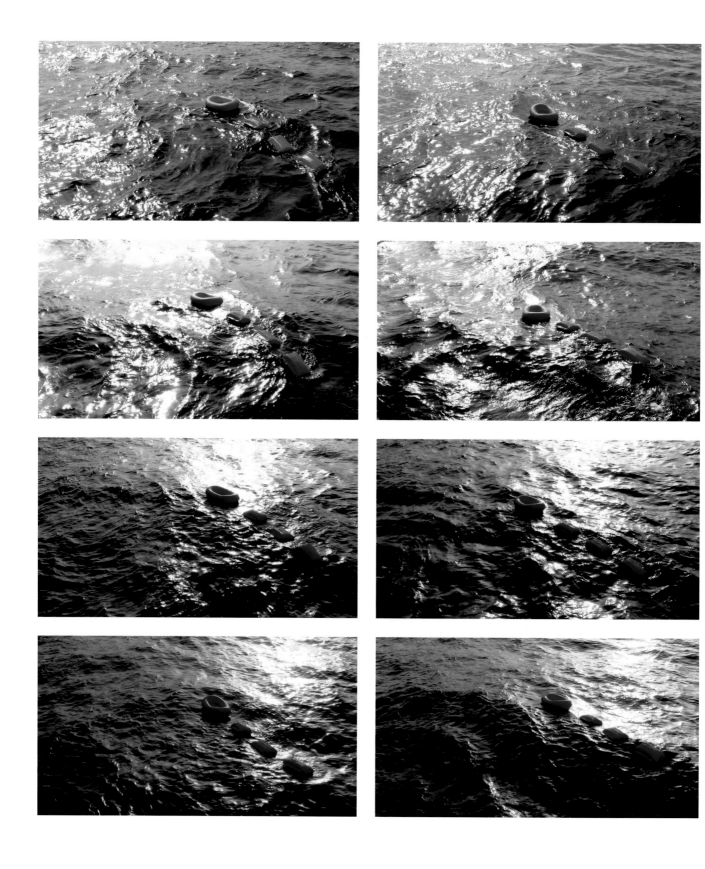

sayfa | pages 112–119

Pembe Bot | Pink Boat
(1993) 2014
Video, 8 saat | 8 hours
Video kareleri | Video stills

sayfa | pages 121–128

1938'de İstanbul'da doğan
Füsun Onur, yaşamını ve
çalışmalarını İstanbul'da,
doğup büyüdüğü Kuzguncuk'taki
Hayri Onur Yalısı'nda
sürdürüyor. Ablası İlhan Onur'la
ve kedi Zorba'yla birlikte
yaşadıkları aile evinin alt katı,
yıllar içinde Füsun Onur'un
atölyesine dönüşmüş. Burada,
bu kitabın çalışması sırasında,
2014 yılının Şubat, Mart ve
Nisan aylarında evde ve atölyede
çekilen fotoğraflar yer alıyor.

Füsun Onur was born in Istanbul
in 1938; she continues to live
and work in Istanbul, at the
place she was born and brought
up, the *Hayri Onur* waterfront
house in Kuzguncuk. Over the
years, the ground floor of the
family residence, which she
shares with her elder sister
İlhan Onur and Zorba the cat,
has been transformed into
her studio. Here you will find
photographs of the house and
the studio taken during the
working process of this book,
in February, March, and April
of 2014.

Eğer bir ev yapacak olursam
onu ortasında büyük bir ağaç olan
bir avlu çevrelemeli. Bence dünyanın
ve yaşamın ağaçtan daha güzel bir sureti
yoktur. Onun önünde düşüneceğim günlerle,
onun önünde ve onun üzerinde.

If I was to build a house
it should be in a yard
with a big tree at its heart. To me,
there is not a more beautiful reflection
of life and the world than
a tree. I will think before it for days,
before it and on it.

Füsun Onur, defterlerindeki notlardan |
from the handwritten notes in her sketchbooks

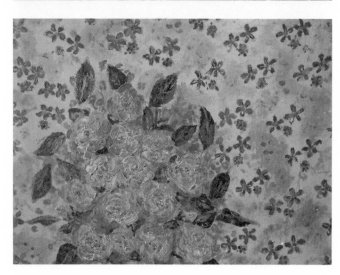

Rüküş
Flamboyant
2007
Tül, boncuk, tuval |
Tulle, ornamental
beads, canvas
57 × 35 cm

Sessizlik
Silence
2011
Demir, tül | Iron, tulle
Yerleştirme görüntüsü |
Installation view:
"Sürekli Çeşitlenmeler"
[Continuous Variations],
Akbank Sanat, 2011

Firuze Bilezikli Kız
Girl with a Turquoise Bracelet
1984
*Tahta, pirinç, boncuk,
metal, boya | Wood,
brass, bead, metal, paint*
115 × 35 × 45 cm
Yerleştirme görüntüsü |
Installation view:
ARTER, 2014

*Gündelik hayattan
sıradan malzemeleri
kullanıyorum; onları
kullanım şekillerinden
kurtarıp kendi notalarıma
dönüştürüyorum. Ritimleri,
zaman ve uzamda tekrar
ve çeşitleme yoluyla
genişleyip örüntülere
dönüşmeleri, iniş ve
çıkışları, sendelemeleri
veya monotonluklarını...*

*I use common materials
of everyday life and
strip them from their
use and use them as my
notes. Their rhythm and
extension to a pattern
in time and space with
repetition or variation, its
up and downs or toddling
or monotonousness
in itself.*

Füsun Onur, defterlerindeki notlardan | from the handwritten notes in her sketchbooks

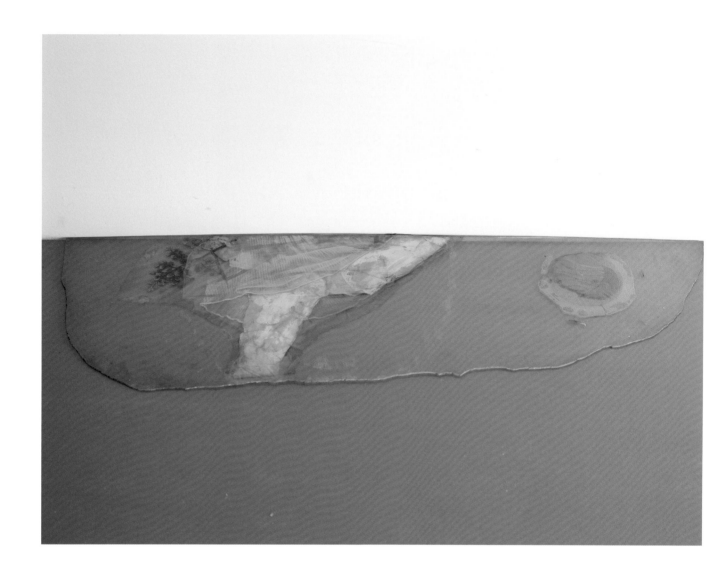

Kaldırım Kenarında Su
Water by the Sidewalk
1981
Yerleştirme, pleksiglas üzerine kolaj |
Installation, collage on plexiglas
İki parça | two pieces:
100 × 30 cm; 100 × 40 cm

Kuş | The Bird
1984
Duralit üzerine yağlıboya,
ahşap küp, tüy |
Oil, wooden cube
and feather on hardboard
37 × 26 × 8 cm
Collection Işıl-Sarkis
Koleksiyonu

Füsun Onur'un atölyesinde dolap. Füsun, İlhan ve Senih Onur'un çocukluk giysileri, oyuncakları ve eşyaları, uzun yıllardır bu dolabın içinde, yerleştirildikleri günkü düzende muhafaza ediliyor.

Wardrobe in Füsun Onur's studio. The childhood garments, toys and accessories of Füsun, İlhan and Senih Onur are kept in this wardrobe for many years with the same order in which they were placed there.

Füsun Onur'un 1970'li yıllarda
yaptığı bebek evi

The dollhouse Füsun Onur made
in the 1970s.

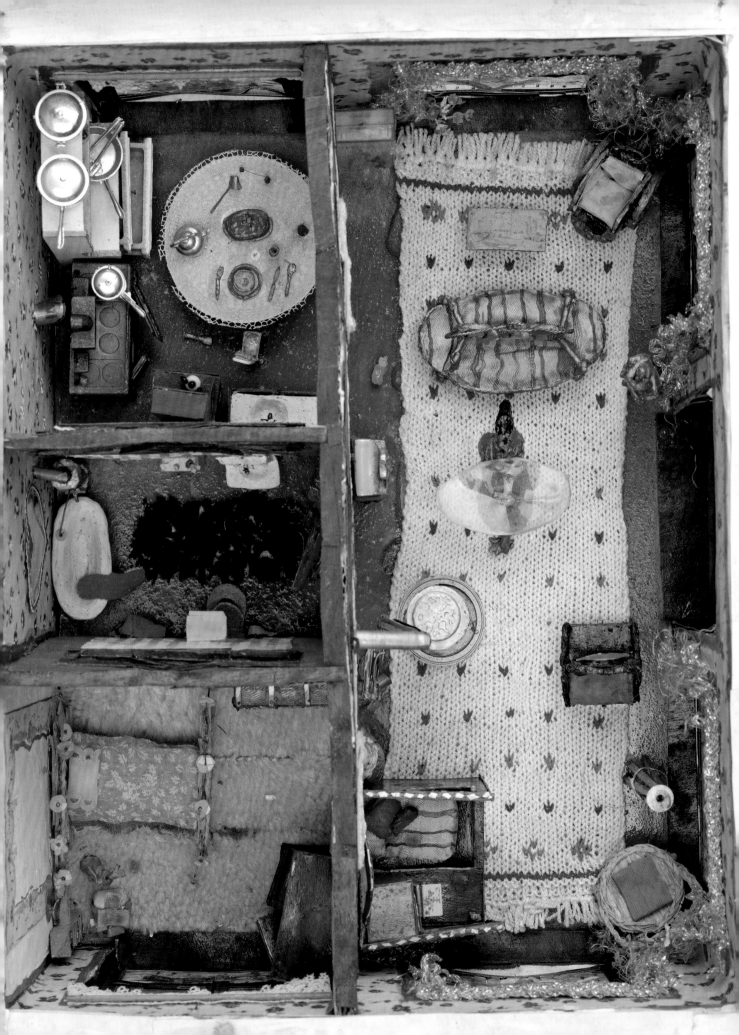

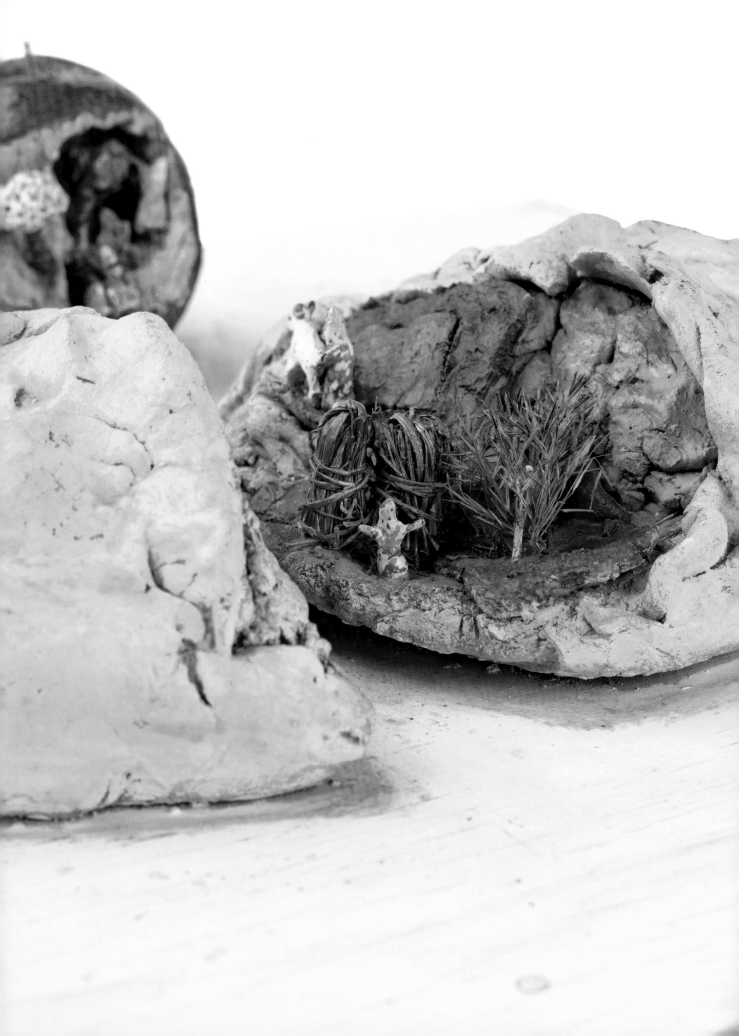

Ekmek, Elma Dedin de
Aklıma Geldi |
Because You Said Bread
and Apple I Remember
1978
Ahşap, seramik | Wood, ceramic
45 × 45 × 11,5 cm

sayfa | pages 142–143

Eski Eşyaların Düşü
Dream of Old Furniture
1985
Yerleştirme | Installation
Vehbi Koç Vakfı Çağdaş Sanat
Koleksiyonu | Vehbi Koç
Foundation Contemporary Art
Collection
Yerleştirme görüntüsü |
Installation view:
TANAS, Berlin, 2010

yukarıda | above:
detay | detail

...sanatçının sonsuz özgürlüğünde kendiliğinden oluvermişçesine doğal bir süreç. Tüm bildiklerim ve bilmediklerimle o sürede var olan, benle ortaya çıkan yapıtlar.

...in the endless freedom of the artist, a natural process almost happening by itself. Works that exist during that time with all that I know and don't know, works that manifest through me.

Müzikli Koltuk
Musical Chair
1976
40 × 40 × 20 cm

Nü | Nude
1974
Ahşap, cam, ayna, bebek |
Wood, glass, mirror, doll
20 × 30 × 15 cm
Collection Roger Conover
Koleksiyonu

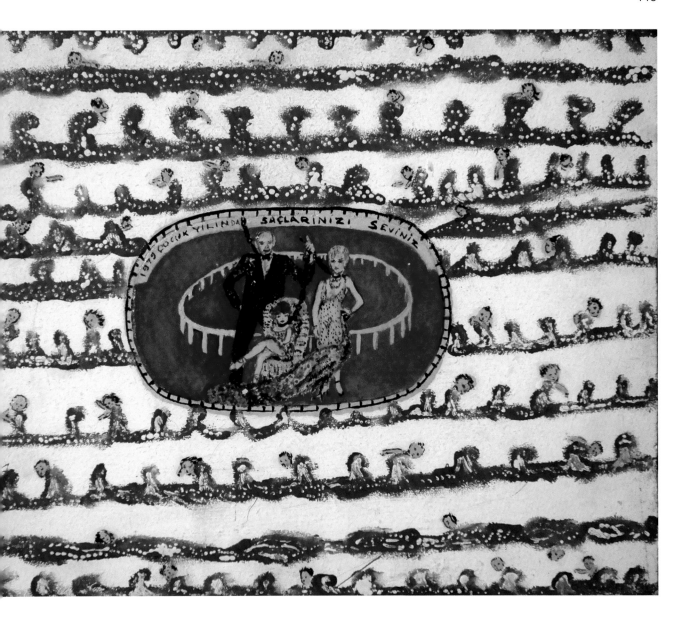

İsimsiz | Untitled
1979
Sunta üzerine yağlıboya |
Oil on chipboard
34 × 45,5 cm
Collection Işıl-Sarkis
Koleksiyonu

1972–1996
1996
Elbise, tül, işleme |
Dress, tulle, embroidery
Collection Işıl-Sarkis
Koleksiyonu

Bir Çocuğun Gözüyle Savaş
War through the Eyes of a Child
1994
Yerleştirme: masa,
fotoğraflar, çizme, bebek,
bebek elbisesi | Installation
with table, photographs,
boot, doll, baby dress
Yerleştirme görüntüsü |
Installation view: "İskele",
ifa Gallery, Berlin, 1994

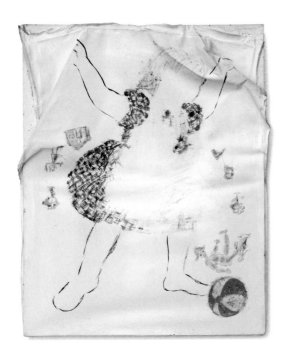

Ekose 1-2-3-4 | Plaid 1-2-3-4
1987
Tuval, karışık malzeme |
Canvas, mixed media
Her biri | each: 50 × 40 cm
Özel Koleksiyon |
Private Collection, Berlin

sayfa | pages 156–159

Tekir'e Ağıt | Elegy for Tekir
2009–2012
Kumaş üzerine karışık teknik |
Mixed media on fabric
Yerleştirme görüntüsü |
Installation view:
Pilevneli Project, 2012

sayfa | page 156 (üst | top)
Tekir'e Ağıt 4 | Elegy for Tekir 4, 107 × 210 cm
Özel Koleksiyon | Private Collection

sayfa | page 156 (alt | bottom)
Tekir'e Ağıt 3 | Elegy for Tekir 3, 200 × 90 cm
Courtesy of Pilevneli Project izniyle

sayfa | page 157
Tekir'e Ağıt 2 | Elegy for Tekir 2, 195 × 90 cm
Courtesy of Pilevneli Project izniyle

sayfa | page 158
Tekir'e Ağıt 5 | Elegy for Tekir 5, 105 × 200 cm
Collection Ayşegül-Doğan Karadeniz Koleksiyonu

sayfa | page 159
Tekir'e Ağıt 1 | Elegy for Tekir 1, 160 × 100 cm
Collection Leyla Pekin Koleksiyonu

*...sürece girdiğim zaman
onun düşüncesi beni esir alır,
ta ki bitene kadar. Bitince de
bir süre ondan uzaklaşmak
gerekir onu anlamam
için. ... İçindeyken düşünce
sürecinden habersiz olurum,
zorunlu olmadıkça bu
süreci bana ait bir giz gibi
saklarım.*

*...when I begin the process,
I can't think of anything else,
it holds me hostage, all the
way until the end. And once
it has ended, I need to stay
away for a while so that
I can understand it. ...
When I am inside it, I am
unaware of the thinking
process. Unless otherwise
obligated, I hide this process
like an intimate secret.*

Füsun Onur, defterlerindeki notlardan | from the handwritten notes in her sketchbooks

Çiçekli Kontrpuan
Counterpoint with Flowers
(1982) 2014
Yerleştirme görüntüsü |
Installation view:
ARTER, 2014

Noktalar çizgileşir,
çizgiler yeni çizgileri,
biçimler biçimi doğurur,
olaylar birbirini kovalar,
bir bütün doğar.

Dots become lines;
lines give birth to new lines,
and shapes to new shapes;
one thing leads to another,
and a whole entity is born.

Füsun Onur, "Resim, Heykel Sorunları" [Problems of Painting and Sculpture], *Politika*, May 29 Mayıs 1976

sayfa | pages 170–203

Füsun Onur'un yapıtları,
İlhan Onur tarafından
oluşturulmuş fotoğraf albümleri
içinde biraraya gelmiş; zamanla
tıpkı aile albümlerindeki gibi
kronolojik bir sıra takip eden
bir arşiv oluşmuş. Çoğu yine
İlhan'ın çektiği yapıt fotoğrafları;
sergi davetiyeleri, afişler, yıllar
geçtikçe renklenen açılış ve sergi
fotoğrafları, eskizler, maketler,
bazen birkaç satır... Füsun'un,
yer yokluğundan Boğaz'a attığı
pek çok işi de dahil olmak üzere,
tüm sanat üretimini içinde
barındıran bu arşiv, önemli bir
kaynak işlevi görüyor. Örneğin
"Aynadan İçeri" sergisindeki
"Pembe Bot" videosu da
albümlerdeki bir taslak ve altına
düşülmüş birkaç satır nottan
hareketle üretildi: "Bir şişme
bot'a arkasında nylon iple bağlı
üç şişme dikdörtgen..." Bu kitap
hazırlanırken de pek çok yapıtın
başlığı, malzemesi, boyutları,
tarihi bu albümler sayesinde
doğrulandı.

Füsun Onur's works were
brought together in the
photo albums created by
İlhan Onur; and just like a
family album, a chronologically
organised archive was formed.
Photographs of works mostly
taken by İlhan, exhibition
invites, posters, photos from
openings and exhibitions that
bloom into colour as the years
progress, sketches, models, a
few handwritten lines here and
there... This archive features
Füsun's entire artistic output,
including those works which she
dumped into the Bosphorus due
to lack of storage space, and
serves as an important resource.
For instance, the video "Pink
Boat" from the "Through the
Looking Glass" exhibition was
also based on a study and the
few lines scrawled underneath
it found in the albums: "Three
inflatable rectangles tied with
nylon line, behind an inflatable
boat..." In the course of
preparing this book, it was once
again these albums that made
it possible to verify the titles,
medium, dimensions, and dates
of many works.

2

it would things exterior and accidental." 4
If there is not a self then how can there be
consciousness? Sartre's answer to this is a
nothingness (for itself). "Consciousness is always
elsewhere, a play of mirrors, therefore in capacity
to be." 5 It is thus consciousness that gives an
art object its spiritual truth. Without presence
in feeling and imagination there can be no actuality
of a being as presence. The capacity we have in
looking at life aesthetically is the same capacity
we have in looking at life as something only ours in
our self-recognition. The aesthetic is a presence-
making element in our experience. The real is what
we attend. This is the same as that hallucinations
are real to those who are suffering them. A hallu-
cination is in fact real but the patient is deceived
by it. But with a normal person he is conscious of
it but not deceived.

I do not believe a perfected mechanical production
is a work of art; technic should never dominate the
creative intend.

Repetition is a unifying element in art. Although
it has some limitations --- it can lead to boredom.
For this reason, self identical repetition between
the same elements is not almost possible. But a
repetition between different materials gives it
playfulness. Or contrasting elements extend the
game; an attempt to fuse for itself with the reuni-
fication in the plentitude in itself, just like
human reality it creates a rhythmn. These means
like repetition, harmonization, contrast or pola-
rization establish the existents power on the world
both in life and in art within the situation he is
contingent. "Existence is not something that may be
thought of at a distance; it has to invade you abso-
lutely, fix itself upon you, weigh heavily on your
heart like a great unmoving beast." 6. This struggle
in art is a free struggle embedded in existence in
the world.

1. Walter Kaufmann, Existentialism from Shakespeare
   to Sartre (New York Doubleday & Co. 1960) P. 24
2. Hegel, The Philosophy of Fine Arts Translated by
   F.P.B. Osmaston (London, Bell, 1920) P. 26
3. Gide, Journal (Secker and Warburg, 1951) P. 10
4. Sartre, The emotions, outline of a theory (Cri-
   terion Books, 1948) P. 30
5. Ibid.
6. Sartre, La Nausee, P. 52

Albüm I, 1965–1966

69013   1970, Sünger, 175 × 150 × 75 cm

1971, Boyalı tahta, 200 × 106 cm

70002

70003

1971, Pompa ile şişme, yelken bezi; 250 × 20 cm

Paris Biennale
(971

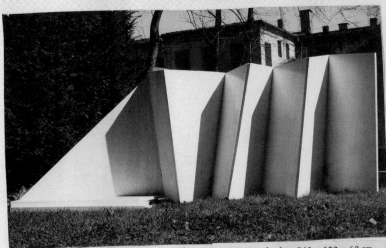

BELÇIKA *13 Bienal*
Anvers Middelheim
1 X 2,40

1975, Boyalı tahta, 240 × 100 × 60 cm

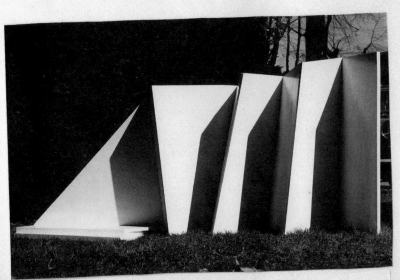

75001

TAHTA. PIRINÇ 165 X 108

ÖDÜL
75002

ARKEOLOJİ Müzesi
çekirdekli ağaç   975

Imlere uymak hayvanların gereğidir, çünkü hayvan yaşamının temelidir. Günlük gereksinmelerini imlere uyarak yerine getirir onlar. İnsanlar da gün boyunca imleri kovalar onlara uyar - - Sabahı bildiren çalar saat, çalınan kapı, telefonların sesi, yol işaretleri. Ancak imin çift anlamını görebilmesi, simgeleme yeteneği insanı hayvandan ayırır. Gereksinmelerinin zorunluğu altında insan kendine gerekli olanları ayırıp sadece onları görmeye okadar alışıyor ki etiket okumakla yetiniyor. Düşünce dizgesinin dengesi imlerin, simgelerin yerini almasıyla bozuluyor, yaşantı tekdüzeleşiyor. Bu da insanlara özgü olan yaratıcılığı yitiriyor. Resimde, yontuda gördüğüyle yetiniyor insan. Portre mi, ölü doğa mı, açık hava resmi mi? İlk görüntülerine göre seyirci onları etiketliyor, tanıdıklar listesine sokuyor. Onu simgeden çok nesne daha ilgilendiriyor. Soyutu bile adlandırarak tanıyınca, anlam yitip gidiyor. Oysa seyircide anlam çoğalmalı, yaratıcılığa girmeli ki, sanatçıyı etkilesin; sanatçıdan seyirciye, seyirciden sanatçıya diyalog kurabilsin. Birinci bölümde bunu anlatmak istedim.

Yine bunları düşünerek "Dıştan içe içten dışa" adlı yapıtımda yedili bir dizi düzenledim. Sözdizimi gibi resimlerin birleşmesinden çıkacak anlamı genel bir simgeyle belirttim. Seyircinin kafasına yerleşmiş, biçimlenmiş bütün geleneksel basmakalıp alışkanlıklardan kurtularak bu yapıta bakmasını istiyorum. Resmi durağandan kurtarmak için zamana yaydım, çünkü çoğu ilgilerimiz değişim, zaman üzerine kurulu. İletişim kurduğumuz alan bunlar.

FÜSUN ONUR

taksim sanat galerisindeki
açılışa sizi de beklerim.

FÜSUN ONUR

sergisi

6 - 19 ŞUBAT 1978

Kokteyl: 6 Şubat 1978 Pazartesi
Saat 17.30

Dıştan içe içten dışa, 1978 Sergisi I

78001

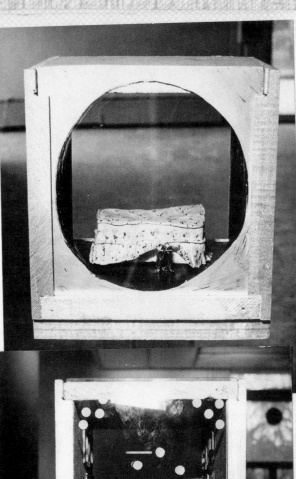

20X20

1982 —   Index 1990

1982	Sergisi Taksim Sanat Galerisi	Kişisel
1982	B.B.C. Sergisi	
1983	Anadolu Medeniyetleri Sergisi Arkeoloji Müzesi	
1983	Grup Sergisi Saramar galeri	
1983	Yeni Eğilimler Sergisi G.S. Akademisi	
1984	Öncü Türk Sanatından bu kesit A.K.M.	
1985	Sergisi Taksim S. Galerisi	Kişisel
1985	Öncü Türk Sanatından bu kesit Yıldız Sarayı	
1985	Yeni Eğilimler Sergisi G.S. Akademisi	
1986	Benys Sergisi İzmir Almant. Merkezi	
1986	Öncü Türk S. bir kesit A.K.M.	
1987	Atatürk Çiçeği	
1987	Toplu Sergi — İzmir Türk Amerikan D.	
1987	Öncü Türk S. bir kesit A.K.M.	
1987	Sergisi Maçka Sanat Galerisi	Kişisel
1987	Uluslar arası G.S. Sergileri Askeri Müze	
1987	Yeni Eğilimler Sergisi G.S. Akademisi	
1988	Toplu Sergi İzmir Türk Amerikan Derneği	
1988	Öncü Türk Sanatından bu kesit A.K.M.	
1989	10 İş 10 Sanatçı A A.K.M	
1989	Devimad Sergisi karma	
1990	Grup Maçka Sanat galeri	

FÜSUN ONUR

Çiçekli Kontrpuan

2.15 x 6.50 x 8.50

Taksim Sanat Galerisi
19 Şubat - 5 Mart 1982

Açılış: 19 Şubat 1982 Cuma 17.30

Çiçekli Konturpuan, 1982, Karışık gereç, 850 × 650 × 215 cm

ÇİÇEKLİ KONTRPUAN İÇİN

1982 de gerçekleştirdiğim Çiçekli Kontrpuan'a açıklık kazandırmak değil beni bu yazıyı yazmaya iten neden. Her algılamanın dışlanması bir sanat yapıtı, her yeniliğin batı taklidi sayıldığı görsel sanatlar kargaşasında, bir sanatçının ne düşündüğü nasıl düşündüğünün de bilinmesinin yararlı olacağına inanıyor ve bu görevi yerine getirmeyi amaçlıyorum.

Çiçekli Kontrpuan diye adlandırmanın nedeni bu yapıtta ön plâna çıkan zamanın kullanımı. Görsel biçimler kendilerini bir bakışta eşsürelli kavranacak gibi ele verirler sonra bunu sanat yapıtının iç bağlantısına girmeyi gerçekleştiren artsürellik izler. Ben zamanı burda süreklilik ve mekânın bir işlevi olarak yaymakla izleyiciye, biribirinin karşısına çıkan elemanlarla içinde anılarının, beklentilerinin rolü olmaksızın, zorunlu artsürellik olarak izlettiğim bir gelişim sunmak istedim. Yapıt eşsüreli bütün içinde kapandığı zaman ise başlangıçla son birleşmiş, sanki akış durmuştur. İzleyici o anda gördükleri ile önyargısız olarak yaratıcılığa katılıp, gelişmeyi bir bütüne vardıran burdaki iç bağlantıların farkına varıp, yerleşmiş alışkanlıklarının dışına çıksın ki; akış, süresizlikler, süreklilik, uzama kısalmalar, boşluk her izleyiciyle değişsin, dolsun.

Gerçekleştirmek istediğim işte bunlar. Görsel bir kontrpuan olduğu için sessiz. Ama dilersek bunu da müzik başlamadan yada bittikten sonraki büyük sessizlik olarak alırız.

Füsun ONUR

Eski Eşyaların Düşü, Detay, 1985, 85 × 43 cm

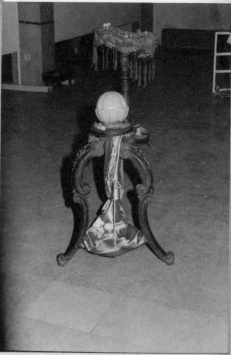

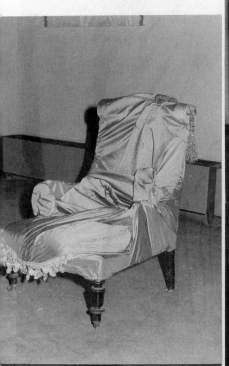

Eski Eşyaların Düşü, Detay, 1985, 78 × 60 × 51 cm

Albüm III, 1982–1990

90002

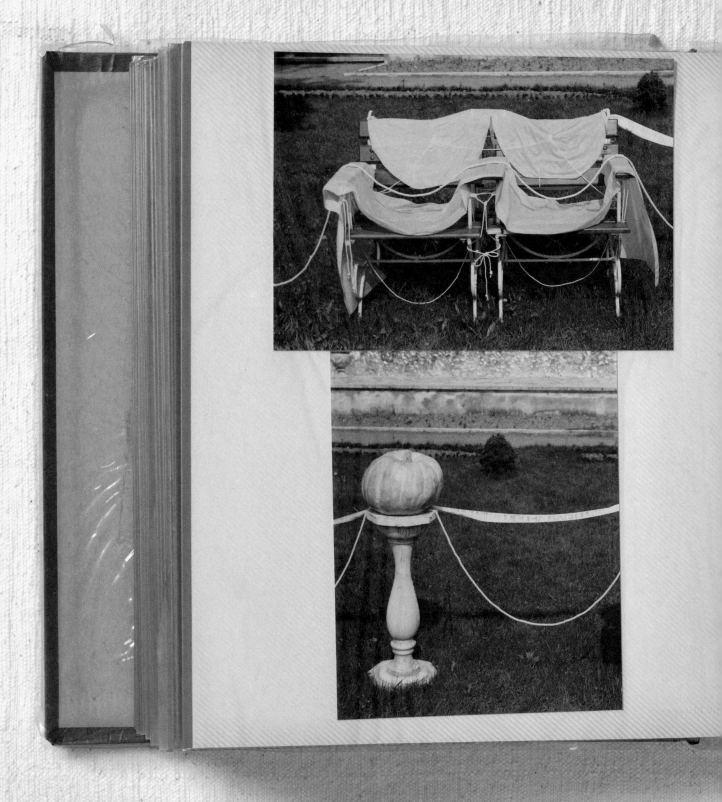

93004

I

Füsun ONUR
Köprü Proje:
Bir şişme bot'a arkasında nylon
iple bağlı üç şişme dikdörtgen
taşıyor. Bot ve taşıdıkları
florasan spray boyalı ve
karadan da iple tutturulacak
karaya dikine. Yerde bir not olacak

II

"Ben en çok denizi ve balık.
çıları sevmiştim. Elveda"

 Demek bizim eski galata köprüsü
aramızda bundan sonra böyle
yaşayacak.

 Yaklaşık yapım gideri üç
milyon
 Fusun Onur

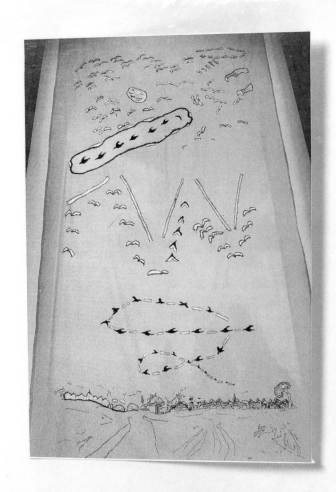

9/6 — 16/9 — 2012
Kassel
dOCUMENTA (13)

sayfa | pages 205-223

"Aynadan İçeri" sergisinin ve kitabının hazırlıkları sırasında Füsun Onur eskiz defterlerini, yazılarını, elyazması notlarını sergi ve kitap ekibine açtı. Taslaklar, ritim denemeleri, form arayışları, işlerin üretim sürecinde tutulmuş küçük, şiirsel notlar, Füsun'un dergi ve gazetelerde yayımlanmış yazılarının elyazısıyla kaleme alınmış orijinalleri, faksla gönderilmiş sorulara elyazısıyla verdiği cevaplar... Sayfalar arasında beliren alıntılar, bu defterlerden seçilmiş ifadeler ve cümleler. Takip eden sayfalarda da Üsküdar Amerikan Kız Lisesi'nde onu "geleceğin bir sanatçısı olarak" görüp yüreklendiren resim öğretmeni Miss Blatter'ın yönlendirmesiyle yaptığı resimli sanat tarihi defteri, bir hatıra defterinde kendi çizdiği küçük portreler, altlarında öğretmenlerinin Füsun için yazmış olduğu dilekler...

Önceden denenmiş yolları, eski kalıpları yinelemek, hiçbir sanatçı adayını "Alice Harikalar Ülkesinde" geziye çıkarabilir mi?

Can following the oft-beaten path and repeating old conventions ever take an artist on a journey in Alice's Wonderland?

During the course of preparing the "Through the Looking Glass" exhibition and book, Füsun Onur gave the team working on the exhibition and the book access to her sketchbooks, writings, and handwritten notes. Sketches; rhythm studies; inquiries into form; small, poetic notes written during the production of a work; the handwritten originals of Füsun's articles that were published in magazines and newspapers; her handwritten responses to questions sent by fax... The quotes that appear from time to time among these pages are selected words and sentences from these notebooks. And in the pages that follow, the illustrated history of art she created, encouraged by Miss Blatter, her art teacher at the Üsküdar American Academy for Girls, who described her as "a rising artist of tomorrow"; the small-sized portraits she drew in a diary, with the words of support from her teachers below them...

Füsun Onur. Özdemir Altan'ın "Türkiye'de Heykel - Soruşturma" dosyası için yönelttiği sorulara cevaben | from the answers to Özdemir Altan's questions for a dossier entitled "Sculpture in Turkey - An Inquiry"

sayfa | pages 205–209

Füsun Onur'un Üsküdar
Amerikan Kız Koleji'ndeki
sanat tarihi defteri

Füsun Onur's art history
notebook from the Üsküdar
American Academy for Girls

This art-book belongs
to
Füsun Onur

Contents   Page

Morning At the Lake

MORNING AT THE LAKE   FRENCH
CAMILLE COROT (1796-1875)   LOUVRE, PARIS
242 © BROWN-ROBERTSON CO., INC., NEW YORK
PRINTED IN U. S. A.

Camille Corot was a French lanscape painter. He was fond of soft colors and misty mornings and evenings. One of his best known picture is "The Mor-

(1)

The Calmady Children

THE CALMADY CHILDREN   BRITISH
SIR THOMAS LAWRENCE (1769-1830)   METROPOLITAN MUSEUM, N. Y.
129 © ART EDUCATION PRESS, INC., NEW YORK
PRINTED IN U. S. A.

Sir Thomas Lawrence was
a British artist. He was
the youngest of sixteen
children and his father
was very proud of him.
24.

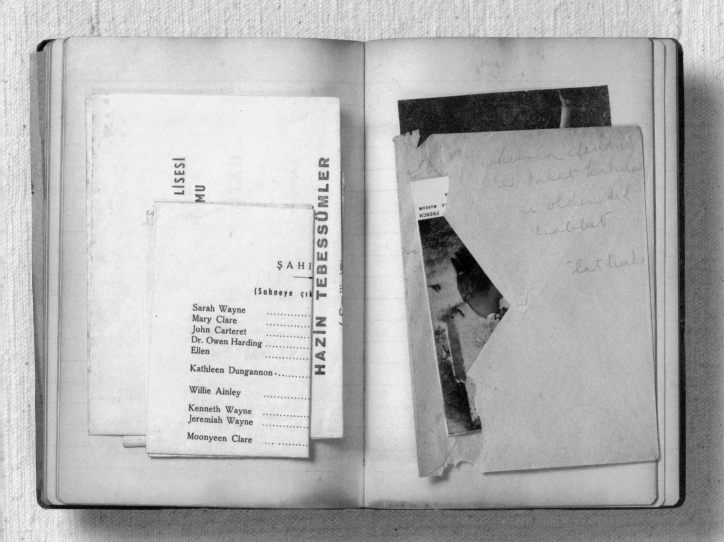

sayfa | pages 210–214

Lise öğretmenlerine yazdırdığı
hatıra defteri

Notebook containing the
memories of her high school
teachers

May 19, 1951

Dear Füsun,

All people have gifts in the form of ability. Therefore some do better than others in particular things. One of your gifts would seem to be in drawing.

But, while our abilities are not the same, there are some things which all can do. Among these are being kind and good.

"I shall pass through this world but once. If, therefore, there be any kindness I can show, or any good thing I can do, let me do it now; let me not defer it or neglect it, for I shall not pass this way again."

Best Wishes to you.

Gwen Halstead

Dear Lüsun,

"The world is a looking-glass, and gives back to every man the reflection of his own face. Frown at it, and it will in turn look sourly upon you. Laugh at it and with it, and it is a jolly kind companion."

(W. M. Thackeray)

Sincerely,

Dorothy G. Smith

April 4, 1953

Dear Füsun,

This verse by Sir Humphrey Davy
has a great deal of meaning for me. I
hope you like it.

"Life is not made up of great sacrifices
and duties;
But of little things; in which smiles
And kindness and small obligations,
Given habitually, are what win and
Preserve the heart and secure comfort.

May your life be rich, full and
joyful while you are in school
and always.

Sincerely,
Martha Millett

sayfa | pages 215–223

Füsun Onur'un İngilizce
öğrendiği ortaokul ve lise
yıllarından, desenlerin eşlik
ettiği şiir ve "hafıza" defteri

Füsun Onur's "memory" and
poetry book, decorated with
drawings; from her secondary
and high school years, during
which she studied English

195̄
Füsun
Onur
Memory Book

Work while you work,
Play while you play.
That is the way to be
happy and gay.

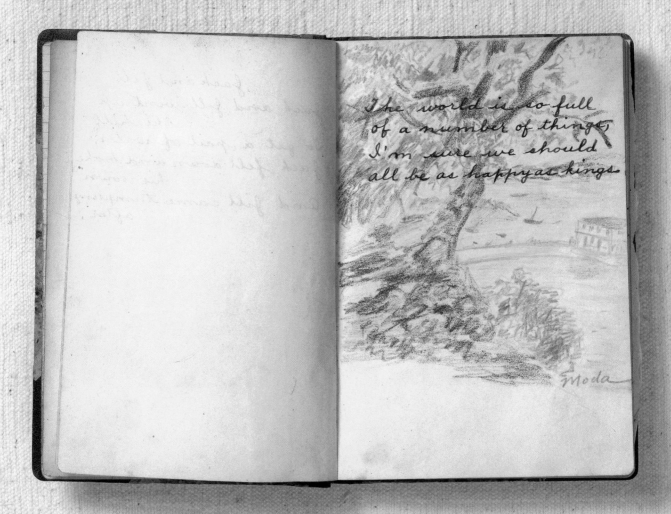

The world is so full
of a number of things,
I'm sure we should
all be as happy as kings

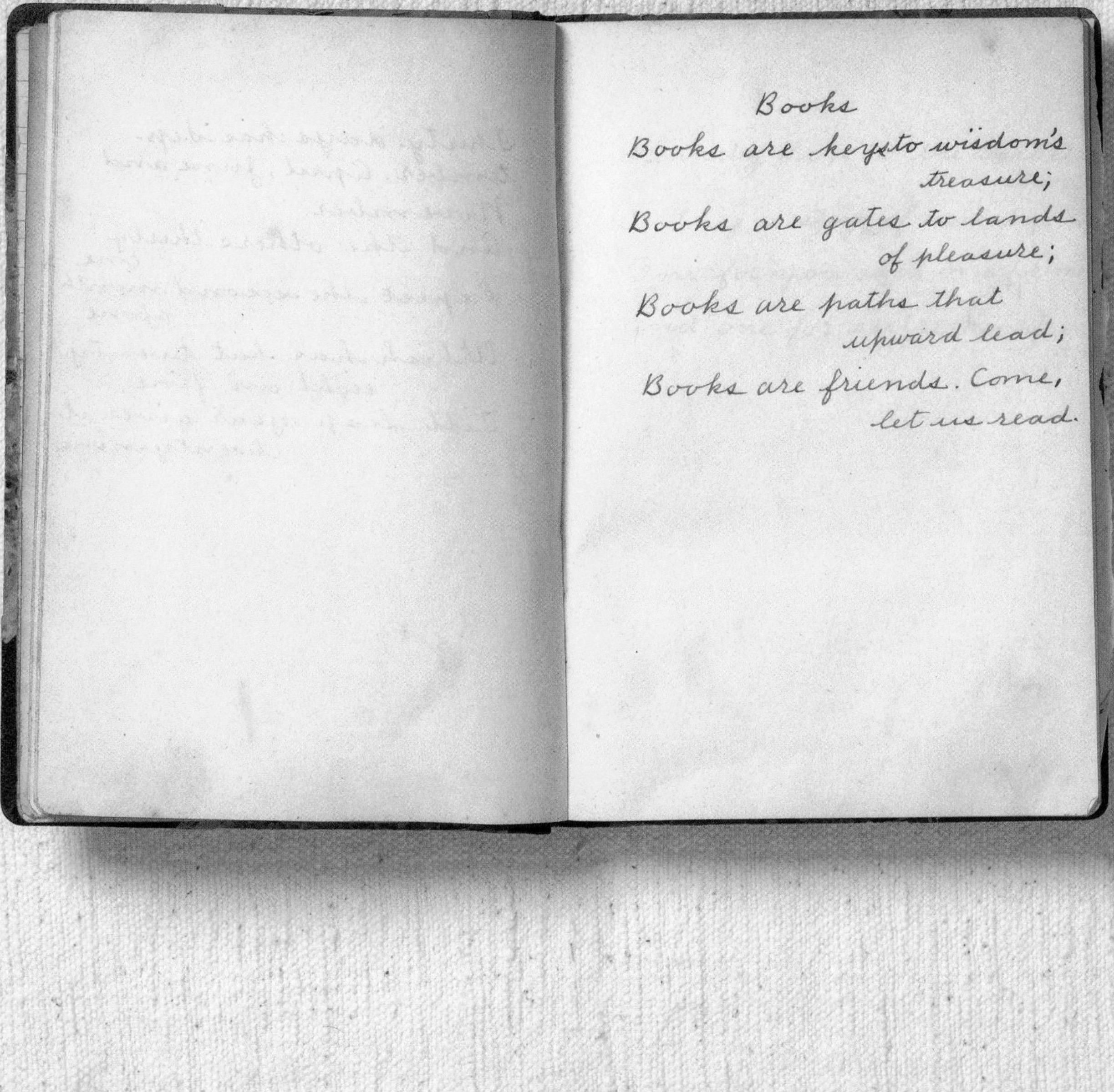

Books

Books are keys to wisdom's
                treasure;
Books are gates to lands
                of pleasure;
Books are paths that
                upward lead;
Books are friends. Come,
                let us read.

Dark Eyes

Your dark eyes divine
As they gaze in mine
How they thrill my heart
Ah, be still my heart!
They keep haunting me
They keep troubling me
With the magic of your
                    dark eyes.
Your dark eyes aglow
They enchant me so
That I can not see,
What they'd say to me;
But I hope its true
That "I love but you"
Is the message of your
                    dark eyes

Stars

Lonely was the road I wandered
Through the dark and silent
                        night
Till the stars in heaven
                shining
Touched me with their
                silver light
Then it was my weary
                footsteps
Lightened on the way
Every friendly star about
                        me
shining seemed to say
cheer and courage lonely
                traveller
After darkness comes the
                        day

It is impossible for
further research That's all
I can do here in Turkey.
It ~~is as tra~~ is a fact
that most people ~~in turkey especially~~
~~don't~~
prefer painting to sculpture
That's perhaps they dont see
much of it. ~~Our~~ We don't
have very many sculptors
But I will take the
courage to make people
love sculpture enjoy
one of Henry Moore's works
~~No matter~~ I have already decided
that I will write my
thesis on Henry Moore.
His on Modern
sculpture

I ~~have starting~~
am reading books about
him mostly By Herbert Read
But as you see I need
some help, ~~help~~ indeed.
~~anyway~~ I have made
up my mind I will not gave
up anyway. But I need
help to ~~do~~ cut the
long way shorter while
I am ~~full will~~ young
full of enthusiasm
to work create. ~~work~~

thesis

*Bunca yıl geçmiş,
imgelem benim için
aşınmamış, beni çıkardığı
yolculukta bir yerlere
vardırıyor. Nereye
götürürse oraya varırım.*

*All these years have
gone by, and for me,
imagination hasn't worn
out. It takes me on a
journey, and delivers me
at a destination. I end up
wherever it takes me.*

Füsun Onur, Maçka Sanat Galerisi'nde sergi bağlamında yaptığı sanatçı konuşmasından, 1987 |
from the artist talk in the context of the exhibition held at the Maçka Art Gallery, 1987